LEAVING CERTIFI

French Revision

Higher Level

Peter McDonagh

g GILL EDUCATION

Gill Education
Hume Avenue
Park West
Dublin 12
www.gilleducation.ie

Gill Education is an imprint of M.H. Gill & Co.

ISBN 978 07171 8659 4

Design by Liz White Designs

Print origination by Carole Lynch

The paper used in this book is made from the wood pulp of managed forests. For every tree felled, at least one tree is planted, thereby renewing natural resources.

Any links to external websites should not be construed as an endorsement by Gill Education of the content or view of the linked material.

For permission to reproduce photographs, the author and publisher gratefully acknowledge the following:

© Alamy: 36, 60; © Getty Images: 32, 56; © iStock/Getty Premium: 35, 35, 37.

The authors and publisher have made every effort to trace all copyright holders, but if any has been inadvertently overlooked we would be pleased to make the necessary arrangement at the first opportunity.

CONTENTS

Introduction

How the exam is marked

The French Leaving Certificate Higher Level examination is made up of the following four parts, worth a total of 400 marks.

1. **The Oral Exam is worth 100 marks, which breaks down as follows:**

    - Pronunciation: 20 marks.
    - Vocabulary: 20 marks.
    - Structures: 30 marks.
    - Communication: 30 marks.

2. **The Listening Comprehension (Aural) represents 80 marks. There are five sections in total:**

    - Four sections: 3 marks for each question.
    - One section: 2 marks for each question.

3. **The Reading Comprehension is in two parts, each worth 60 marks (a total of 120 marks).**

4. **The Written Expression section is worth 100 marks.**

    - Question 1 (compulsory): 40 marks (20 marks for content, 20 marks for language). You must write approximately 90 words.
    - Question 2: 30 marks.
    - Question 3: 30 marks.
    - Question 4: 30 marks.

    You must write approximately 75 words for each of questions 2–4: 15 marks for content, 15 marks for language.

    (Questions 2, 3 and 4: 15 marks for content, 15 marks for language.)

Time management

1. Allow about **30 minutes** for each Reading Comprehension question.

2. Allow about **30 minutes** for the 90-word piece in the Written Expression section.

3. Allow about **25 minutes** each for the 75-word questions in the Written Expression section. However, this depends on whether the questions suit you or not.

4. Do **not** spend too much time on one question at the expense of the others; leave it and return to it when you are under less pressure.

5. Leave **10 minutes** to check your paper at the end of the exam.

1 The Leaving Certificate requires a good standard of basic French; you are not writing an English essay.

2 For the Written Expression section, keep your sentences short, as they are more manageable. There is no penalty for going over the required number of words, but there are two problems here:
- you are creating more opportunities for making mistakes.
- you are eating into the time needed to answer the other questions.

3 Answer the Reading Comprehension questions first, because:
- as you are required to **recognise** text and **understand the gist** of it, it is not too difficult to locate the relevant areas where you may find the answers.
- by reading so much French of a high standard, your mind will become 'switched on' to the language. Vocabulary and phrases should come to mind more readily. You should then feel under less pressure when answering the Written Expression section questions.

TRAVAILLEZ BIEN ET BONNE CHANCE !

1 Oral Exam (Épreuve orale)

aims
- To learn all the relevant vocabulary to approach the Oral Exam with confidence.
- To brush up on grammar and tenses and practise communicating in French.
- To select a document or other supporting item.

exam focus

Percentage = 25% of total exam
Marks = 100
Time = 12 minutes

What makes the Oral Exam easier than the Written Expression exam is that it is more **predictable**. You can **prepare** many popular topics beforehand.

Format

- The Oral Exam lasts **12 minutes**.
- It takes the form of **straightforward questions** put to the student in a fairly direct way.
- The discussion will be about the student's **general interests and life**, e.g. area of residence, school, hobbies, sports, career plans.
- Students may also choose to bring a **document, such as a picture, project or other stimulus item** into the Oral Exam. The article should **not** be from a textbook and does **not** have to relate to France. This will be marked as part of the general conversation.

Preparing for the Oral Exam

1. You are marked on **communication**, which means that you can keep the conversation going without long gaps of silence and that you understand the examiner's questions.
2. **Structures** refers to your grammar. Watch out for basics such as 'j'**ai** 18 ans', 'je **suis** allé en France', 'je joue **au** foot'.
3. You will need a broad **vocabulary** for this level. Pay particular attention to the words, phrases and verbs relating to the topics mentioned below. Few marks will be awarded to a student when asked to describe their area, if all he or she can say is 'C'est bon'.

exam focus

The examiner will mark the conversation under four categories:
- Communication: 30 marks.
- Structures (i.e. grammar): 30 marks.
- Vocabulary: 20 marks.
- Pronunciation: 20 marks.

Pronunciation

Pronunciation (20 marks) will be examined as you speak. The following are the main aspects of pronunciation to be targeted.

The nasal vowels

- in / im: as in 'pain', 'imperméable', 'principal', 'vingt', 'coincé'. Also in words ending in '-ien', '-ain': américain, bien, ancien.

To achieve this vowel, say the word 'an'; your tongue touches the roof of your mouth. Try saying it again, but this time, don't allow your tongue to touch the roof of the mouth:

> Matin, instant, impoli, je viens, le terrain de foot, Africain, le lapin, le coin, un dindon, italien.

 *Track 02*

Now try these:

> Tiens, voilà les Américains au coin.
> Les Canadiens aiment bien le lapin, le vin et le pain.
> Le train vient à dix heures vingt.
> Un instant, je viens de prendre mon bain.
> C'est impossible ! Fumer, ce n'est pas sain. Tu m'inquiètes !

However, if the word is in its feminine form, you should let your tongue reach the top of your mouth: américaine, africaine, certaine.

- em / en / an: as in 'pendant', 'décembre', 'chance', 'rendre'.

To say this vowel, pronounce the English word 'on'. Repeat, but don't allow your tongue to touch the roof of your mouth. That is the sound of the French 'em / en / an':

> Il semble, enfant, maintenant, agent, elle ment, les gens, dans, novembre, le temps, sans, sa tante, allemand, l'an.

 Track 03

Now try these:

> Maintenant, tu mens ! La pendule est en panne.
> En France, les gens mangent de la viande.
> L'étudiant allemand habite à Nantes pendant le printemps.
> Je prends le train en Normandie en novembre.
> L'an dernier, sa tante se sentait mieux.

- on / om: as in 'bonbon', 'ton', 'nom'.

This vowel sound is achieved by saying the English word 'on' and adapting it. You will notice that your tongue touches the roof of your mouth. Now say 'on' again, but don't let your tongue touch the upper part of your mouth. Round your lips a little more and you have now got the French sound 'on':

> Prénom, liaison, font, sont, thon, raison, le pont d'Avignon, Besançon, son, donjon, façon, Dijon, vont, ont, longtemps.

 *Track 04*

Now try these:

> Le garçon donne un cadeau à son oncle.
> Non, mon oncle est fonctionnaire.
> Bonjour, est-ce qu'on a des bonbons ?
> Le Pont d'Avignon est une chanson, non ?
> Pardon, on a besoin de conseils sur ce micro-onde.

- un: A very rare vowel sound, despite the common article.

Say the English word '**done**'. Repeat it but don't touch the roof of your mouth with your tongue:

Track 05

> Les soldats ont perdu à Verdun.
> Ce parfum est très bon.
> Un stylo est brun, le mien est brun.
> Aucun problème. Un coup de fil à midi.

When the letter '-e' comes at the end of '**un**', then the 'n' is pronounced, namely let your tongue touch your mouth:

> Une trousse, une femme, la porte brune, aucune matière.

Consonants 'p' and 't'

Track 06

The consonants '**p**' and '**t**' are to be pronounced without aspiration, i.e. these consonants are spoken without any release of breath, as is done in English.

Hold up a mirror to your mouth. Say: **poser, parler, tant, temps.**

If you have aspirated, the mirror will fog up. If the mirror is clear, you got them right.

The letter 'r'

Track 07

The letter '**r**' is a very difficult one indeed because it's so unnatural for anglophones to vibrate the '**r**'. For example, try to pronounce these words like a true French person:

> Elle regarde, par terre, la rédactrice, on est rentré.

Try again, but this time clear your throat slightly (as in gargling) when you come across the letter '**r**'. Initially, try '**r**' after '**g**' and '**b**': **grand, gros, brun.**

> Now try these: **rang, rare, rapporter, ramener, rattraper, rue, renverser, ronronner, Renault, renard, raison, rhume, recevoir, roi.**

The sound '-ille'

Track 08

The '**-ille**' sound, as in '**ville**'. The '**-ll-**' is pronounced in a few cases:

> **ville, tranquille, mille.**

However, it is silent in most cases: **famille, fille, habille.**

The sound 'heure'

Watch out for the '**heure**' sound:

> **leur, les mœurs, mes sœurs, les fleurs, la peur.**

The difference between 'u' and 'ou'

The difference between '**-u / ou**', as in '**vu / vous**'. For '**vu**', say the letter '**e**'. Repeat it, but instead of saying '**e**', say '**u**'. That is the French '**u**' sound. The '**ou**' sound is the same as the English '**oo**', as in '**school**':

> **Bu, bout ; tu, tout ; nu, nous ; vu, vous ; pu, pour ; su, sous ; fut, mou.**

The sound '-eil-'

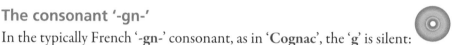

The '**-eil**' sound is frequently mispronounced. It is pronounced like '**ay**', as in '**Monday**':

> **Le soleil, la corbeille, l'oreille, le réveil, une vieille dame, c'est pareil, surveillez-les.**

The consonant '-gn-'

In the typically French '**-gn-**' consonant, as in '**Cognac**', the '**g**' is silent:

> **Les montagnes, la ligne, Champagne, les champignons, l'agneau, c'est magnifique, il est mignon.**

The ending '-tion'

The '**t**' in '**-tion**' in French has an '**s**' sound. '**Attention**' is pronounced as though it were spelled '**att-awnce-ion**':

> **L'inaction, les attractions, avec mention, la situation.**

The silent 's'

Be careful not to pronounce the letter '**s**' when it is supposed to be silent:

> **Dans la maison, ils jouent, nous donnons des fleurs, les voitures, mes parents, mes deux frères, je lis des livres.**

The sound 'é'

The sound '**é**' is always pronounced rather like '**ay**' in '**Monday**':

> **L'école, j'ai travaillé, j'ai joué, mon équipe préférée, les prix sont élevés, une bonne idée, j'étudie, l'année, l'été.**

- The '**je**' form of the verb in the present tense hardly ever ends in the '**é**' sound: **Je joue, je passe, j'étudie, je regarde, j'écoute, j'habite.**
- Note also that the word '**et**' is always pronounced '**é**', even before a vowel: **Mon ami et moi, vingt et un, trente et un, et c'est tout.**

The ending '-ent'

 Track 16

Finally, avoid the temptation to pronounce the '-**ent**' ending (in verbs only). This is also a common error:

> Ils me donnent, elles jouent, ils prennent, ils regardent, elles écoutent, ils veulent, elles s'appellent, ils habitent, ils boivent, elles mangent, ils reçoivent.

Liaison

Track 17

Liaison is when you pronounce the **final** consonant of a word if the next word begins with a vowel or unaspirated 'h':

> Mes amis et moi, un homme, des œufs, nous avons, vous êtes, bon ami, dans une chambre, ils ont, ton école, chez eux, les oignons, elles avaient, en avril, mon ami, les usines.

Additional pronunciation

Track 18

The examiner will be listening out for the following:

- The 'aw' sound in '-**or**': je sors, je dors, je porte, alors.
- '-**eil**-' is pronounced '-ay', as in 'Monday': soleil, bouteille.
- Pronunciation of every **acute accent**: été, école, le ménage.
- The distinction between '**les gens**' and '**les jeunes**'.
- '**qu**-' is pronounced 'k': quand, qui, que, quel, quelle.
- The difference between '-**ier**' and '-**ière**': un métier, une matière.

Summary of pronunciation

 *Track 19*

- Nasal vowels: vin, vent, vont, un.
- Consonants '**p**' and '**t**': poser, parler, tant, temps.
- The letter '**r**': regarder, frère, père, préfère, espère.
- '-**ille**': ville, tranquille; famille, fille.
- '**heure**': leur, sœur, fleur, peur.
- '**u / ou**': tu, tout; vu, vous; su, sous; bu, bout.
- '-**eil**-': soleil, oreille, réveil.
- '-**gn**-': montagne, cognac, enseigner.
- '-**tion**': attention, action.
- Liaisons: le**s** élèves, nou**s** avons, il**s** ont, vou**s** êtes (pronounce the bold '**s**' before a vowel).
- Silent '**s**': les voitures, parents, livres.
- '**é**': école, équipe, idée, été.
- '-**ent**': ils donnent, habitent, mangent.

Content

The content of the Oral Exam mainly concerns **your interests**. Typical subjects are yourself, your family, where you live and go to school, what you did last summer / weekend (past tense), what you do every weekend (present tense), your plans for the future (future tense), hobbies, sport, school subjects and school facilities.

Topical questions may come up. They may refer to issues concerning school and young people, such as the points race, poverty and other social problems. You don't have to discuss current affairs to get top marks! The majority of students are asked **questions relating to their own interests.**

1. The verb 'aller' is overused. Variety boosts grades. For example, if talking about **career plans** you could say:
Je vais être dessinateur / J'espère devenir dessinateur.
Je voudrais être …

2. **To like something:**
In answer to questions such as 'Le sport, ça vous plaît ?', answer: 'Oui, ça me plaît.'
Question: La lecture, ça vous intéresse ?
Answer: Oui, ça m'intéresse beaucoup.

3. **To wish, want:**
Je voudrais devenir acteur après l'école. (vouloir)
Que désirez-vous, Monsieur ? Je veux acheter un pardessus.
Je n'ai pas envie de sortir ce soir. (avoir envie de – *to feel like*)
Je vous souhaite un joyeux anniversaire. (souhaiter – *to wish, used in greetings*)

Examiners are encouraged to start the oral with **easy questions** to relax you: 'Comment vous appelez-vous ?' 'Avez-vous des frères ou des sœurs ?'

They are also encouraged to ask **open-ended** questions, such as: 'Parlez-moi de ce qui vous intéresse.' 'Dites-moi quelque chose de votre famille.' 'Décrivez votre quartier.'

The idea here is to allow you some scope to talk at reasonable length and to show off your French.

Vary your language, e.g. how many alternatives can you find to 'je suis allé(e)' when describing a journey or holiday? Try these:

Je **suis parti** de chez moi.
Je **suis arrivé** à Nancy.
J'ai **visité** le musée d'art.
J'ai **vu** la Tour Eiffel.

J'ai **rendu** visite à mes copines.
Nous **avons voyagé** en car.
Nous **avons roulé** 200 km.

You can introduce pre-prepared material, i.e. **a project**, **photo**, **picture** or **article**, that you are allowed to talk about. Students often think that it is sufficient to describe what is in the picture; you should be well enough prepared to **discuss** it and to **talk around** the subject.

For instance, if you bring in a photo of your brother's 21st birthday party, you could be asked about the problems of drinking alcohol and maybe even late-night anti-social behaviour – you really must be **well prepared**.

Optional vocabulary

The following expressions are useful for conversation (and also for the *Production écrite* questions; see Section 4).

Liking / preferring something

J'aime la lecture.   *I like reading.*
J'adore le théâtre.   *I love theatre.*
Le sport, ça me plaît beaucoup.   *I like sport a lot.*
Je me passionne pour la pêche.   *I love fishing.*
Je m'intéresse au cinéma.   *I'm interested in the cinema.*
Elle aime mieux parler allemand.   *She prefers to speak German.*
Ça m'intéresse beaucoup.   *That interests me a lot.*
Je les trouve formidables.   *I think they're great.*
Ce n'est pas mal.   *It's not bad / it's OK.*
Ce que j'aime le mieux, c'est l'informatique.   *What I like best is Computer Studies.*
J'ai envie de sortir.   *I feel like going out.*

Disliking

Je n'aime pas ça.   *I don't like that.*
Le dopage, ça ne me plaît pas du tout.   *I don't like drugs at all.*
Ça ne m'intéresse pas tellement.   *That doesn't interest me much.*
Ça ne me dit rien !   *That does nothing for me!*
Je ne peux pas supporter l'impolitesse.   *I can't stand rudeness.*
Je trouve ça difficile.   *I find it difficult.*
J'ai horreur de ça !   *I hate that!*
Il n'y a rien qui me déplaise plus que la violence.   *There's nothing I dislike more than violence.*

Enjoyment

Ça m'a beaucoup plu.   *I really enjoyed that.*

C'était formidable / chouette / génial.   *It was terrific / great / brilliant.*

Je me suis bien amusé(e).   *I enjoyed myself / I had a great time.*

Criticism

Je trouve ça casse-pieds !   *I think it's a pain!*

Ce qui m'énerve c'est que ...   *What annoys me is that ...*

Ça ne me dit pas grand-chose.   *It doesn't do much for me.*

Je crois que c'est ennuyeux.   *I think it's boring.*

L'embêtant, c'est son style.   *The annoying thing is his style.*

Je m'y oppose.   *I'm against it.*

Je doute que ce soit vrai.   *I doubt that this is so.*

Agreeing

D'accord.   *OK.*

Ça me va.   *That suits me.*

Ça me convient.   *That's OK with me / suits me.*

Si tu veux.   *If you like.*

Je suis entièrement d'accord avec vous.   *I'm in total agreement with you.*

Il est évident qu'elle a raison.   *It's obvious that she's right.*

Giving your point of view

À mon avis / selon moi / d'après moi ...   *In my opinion / according to me ...*

En ce qui me concerne / pour ma part ...   *As far as I'm concerned ...*

Je soutiens qu'ils ont tort.   *I maintain that they're wrong.*

Ce qui me frappe le plus, c'est la misère.   *What strikes me most is the poverty.*

Indifference

J'ignore tout du rugby.   *I know nothing at all about rugby.*

Cela m'est égal.   *It's all the same to me.*

Je n'en ai aucune idée.   *I have no idea.*

Je n'ai pas la moindre idée de ce que je vais faire.   *I haven't the slightest idea about what I'm going to do.*

Troubleshooters

The following are phrases to help you when you don't understand the question.

Voulez-vous répéter la question, s'il vous plaît ?   *Will you repeat the question, please?*

Pardon, je n'ai pas compris.   *Sorry, I don't understand / I didn't get that.*

If you say that you don't understand a question too often, it may result in lower marks for communication. These phrases are to be used as a last resort.

If you want a way out of tricky questions for which you aren't fully prepared or in which you have no interest, try the following:

La politique ? Ça ne me fait pas grand-chose / ça ne m'intéresse pas.   *Politics doesn't do much for me / it doesn't interest me.*

Je regrette, mais je ne sais pas.   *Sorry, but I don't know.*

Je n'en ai aucune idée.   *I've no idea about that / I haven't a clue.* (en – *about it, of it*)

Je n'en suis pas sûr.   *I'm not sure about it.*

These phrases should only be used as a last resort. Overuse makes it seem that you have a limited vocabulary.

Sample conversations

Ensure that you **develop a simple area**, such as your age. Don't just say 'J'ai dix-huit ans' and leave it at that. Instead, elaborate on it, e.g. talk about your **birthday**, **presents**, **party** and so on.

This goes for almost all questions. Even your name can provide a little mileage: you could say 'Je m'appelle William, mais mes amis m'appellent Bill' instead of just saying 'William'.

The ability to **vary your vocabulary** and to develop a subject will earn you a considerable increase in marks!

- **Qu'est-ce que vos parents vous ont offert comme cadeau ?**
  Ils m'ont acheté un appareil photo japonais. C'est formidable.

- **Vous vous intéressez à la photographie ?**
  Oui, depuis longtemps. Je suis un passionné de photographie.

Early on in the Oral Exam, you can and should dominate the conversation by **directing the examiner** towards areas of your own interest. For example, answering the question about birthday presents allows you to talk about a hobby, like photography. The following sample conversations give an idea of how you can do this.

Vous-même

- **Comment vous appelez-vous ?**

Je m'appelle Janice, mais mes amis m'appellent Jan.

- **Quel âge avez-vous ?**

Je viens de fêter mon dix-huitième anniversaire. Je suis née le neuf avril mille neuf cent quatre-vingt-dix.

- **Qu'est-ce que vous avez fait pour fêter votre anniversaire ?**

J'ai fait une boum chez moi. Il y avait vingt invités. J'ai reçu pas mal de cadeaux de mes amis. On s'est bien amusés ensemble. Malheureusement, on a renversé du café sur la moquette *(carpet)*.

La famille

- **Combien êtes-vous dans votre famille ?**

Nous sommes sept : mes parents, mes deux frères qui sont plus âgés que moi, mes deux sœurs et moi. Je suis la cadette de la famille.

- **La cadette ? Alors, êtes-vous gâtée ?**

Non, je ne suis pas gâtée. Mes parents nous traitent de manière égale. Je ne suis pas plus avantagée que mes frères et sœurs.

- **Est-ce qu'il y a des inconvénients à être la plus jeune ?**

Oui. Mes parents veulent que je me comporte comme une adulte. Je dois avoir de bonnes notes en classe comme mes frères et mes sœurs. Qui plus est, je ne peux pas regarder mes émissions préférées à la télé.

When you are saying that a parent 'works' for a company, 'for' is best translated by '**chez**'.

- **Que font vos parents dans la vie ?**

Mon père travaille comme comptable **chez** IBM. Ma mère est infirmière. Elle travaille à temps partiel trois nuits sur sept dans un hôpital.

- **Est-ce que vous aidez vos parents chez vous ?**

Oui, certes. Je dois ranger ma chambre et faire la vaisselle. De temps en temps je passe l'aspirateur dans le salon. La plupart du temps je fais les courses.

Leave out the indefinite article 'un / une' when saying what someone does for a living:

Mon frère est médecin. *My brother is a doctor.*

Il veut être dessinateur. *He wants to be a designer.*

PAY ATTENTION

Listen out for **prepositions** used in the examiner's questions. In a question about your interests you might be asked 'À quoi vous intéressez-vous ?' Your reply might be: 'Je m'intéresse à la lecture.'

En quelle matière êtes-vous faible ?   *In what subject are you weak?*
Je suis faible **en** maths.   *I'm weak in maths.*

De quelle ville est-il parti hier ?   *What town did he set out (leave) from yesterday?*
Il est parti **de** Rome.   *He set out from Rome (he left Rome).*

IMPROVE YOUR MARKS

1. Always **listen to the verb** in the examiner's question! It gives you something to reply with instead of gazing at the wall trying to think of a start to your answer (remember, marks are lost for long gaps in responding to questions).

2. For example, the examiner might ask 'Aimez-vous porter l'uniforme à l'école ?' Once you hear the verb '**aimer**', you know that your answer can begin with either 'Oui, j'aime ...' or 'Non, je n'aime pas ...' (A wider choice of verbs of liking is given on pages 14–15.)

3. Furthermore, you will also have heard the **infinitive** 'porter'. Thus, you know that you must use it after 'aimer': 'Oui, j'aime porter l'uniforme.'

4. 'Avez-vous jamais été en France ?' If you hear the opening '**avoir**' followed by the **past participle** of 'être' the tense used is obviously the 'passé composé', so you should use the same tense in your reply. You may find it safer to reply using the same verb: 'Non, je n'ai jamais été en France, j'espère y aller l'été prochain.'

Les passe-temps

- **À part le sport, comment est-ce que vous passez votre temps libre ?**

  D'habitude je vais voir un film au cinéma le samedi soir. Je m'intéresse à la lecture. J'aime lire les romans de Grisham. J'adore ce genre de livres. Je n'ai pas le temps de lire beaucoup à cause de mes études. Comme vous savez, je passe le bac en juin.

- **Le cinéma, ça vous intéresse ?**

  Mais oui, ça m'intéresse beaucoup. Je vais voir un film de temps en temps avec mon petit ami. Ce qui me plaît le plus, ce sont les films d'aventures.

- **Quel était le dernier film que vous avez vu ?**

  J'ai vu « Us ». C'était assez bon.

L'avenir

- **Après l'école, que comptez-vous faire ?**

  J'ai l'intention de faire une licence à la Fac. J'espère aller à TCD pour étudier le Droit. Je veux devenir avocate.

- **Pourquoi avez-vous choisi cette carrière ?**

  Parce que ça m'attire, le droit. Mon père est notaire, et cela a une grande influence sur moi. Je voudrais aussi servir le public.

- **Est-ce qu'il vous faut beaucoup de points pour aller à l'université ?**

  Certes ! C'est très dur. Bien des élèves n'arrivent pas à obtenir une place à la Fac. C'est dommage ! Ce n'est pas la bonne façon de juger les médecins, les comptables ou les professeurs de l'avenir.

- **Si vous aviez le pouvoir de choisir les étudiants, comment le feriez-vous ?**

  C'est facile. Je mettrais en place des entretiens pour sélectionner ceux qui conviennent *(who are suitable)* le mieux à telles ou telles études. De cette façon, on choisirait les meilleurs candidats.

- **Si vous n'obtenez pas les points requis pour votre choix, que ferez-vous à la place ?**

  Je redoublerai.

Le voyage

- **Avez-vous déjà voyagé à l'étranger ?**

  Oui, une fois il y a deux ans. Quand j'avais seize ans, ma famille et moi avons séjourné en Allemagne. C'était génial.

- **Pourquoi l'Allemagne ?**

  Parce que le paysage est merveilleux dans le sud du pays. Il y a beaucoup de forêts. Les Allemands sont sympas et aimables. Nous **y*** sommes aussi allés car mon père est connaisseur en vins et il voulait déguster les vins.

key point

* This shows **good manipulation** of an answer. The use of a **pronoun** ('y') always impresses.

- **Comment est-ce que vous y êtes arrivés ?**

  On est parti de Dublin et nous avons pris
  le ferry de Rosslare au Havre. On a parcouru le nord de la France. Puis, nous
  avons traversé la Belgique, et enfin nous sommes arrivés en Allemagne. Il nous a
  fallu deux jours de voyage, mais ça s'est bien passé..

- **Où êtes-vous restés ?**

  Nous sommes descendus dans un hôtel à Rothenburg. C'était confortable, mais
  je n'ai pas aimé la cuisine allemande.

- **Êtes-vous jamais allée en France ?**

  Non, je ne suis jamais allée en France. Je compte y aller bientôt pour améliorer
  ma connaissance de la langue.

- **Très bien. Bonne chance. C'est tout. Au revoir.**

1   **Don't depend on long passages** to be repeated parrot-like in the exam!
It seems unnatural – it's coming from a memory bank, not from you.
It can reveal that you have a limited vocabulary and that you have to learn
by heart. You won't fool the examiner.

2   Some material must, however, be learned off by heart, which can increase
your confidence when speaking. Just don't make it sound too obvious by
rushing it.

3   Try to **lead the oral** in the direction that you want it to go. For example, if
you like an unusual sport like sky-diving, the examiner would probably like
to hear about it. An examiner will usually follow the line of dialogue which
interests the student.

4   Finally, know your **past tense negatives**.

    avoir
    Je n'ai **jamais** vu ce film.   *I have never seen that film.*
    Je n'ai **pas** encore décidé.   *I haven't yet decided.*
    Je n'ai **jamais** été en Italie.   *I have never been to Italy.*

être

Je ne suis **jamais** allé à Paris.   *I have never been to Paris.*
Nous **ne** sommes **pas** allés en Espagne.   *We didn't go to Spain.*
Je **ne** suis **pas** restée trop longtemps.   *I didn't stay too long.*

reflexive

Je **ne** me suis **pas du tout** amusée.   *I didn't enjoy myself at all.*
Nous **ne** nous sommes **pas** amusés.   *We didn't enjoy ourselves.*
Nous **ne** nous sommes **pas** levées avant 7h.   *We didn't get up before 7 a.m.*

Examiner's report

Over the years, examiners have remarked on a number of **common errors** made by students.

- One of the most common mistakes is to **echo** the examiner's questions (repeating the same words as the examiner):

  Recevez-vous de l'argent de poche ?

  Oui, je reçois vingt euros. (**Don't make the mistake of saying 'je recevez'.**)

  Quels romans préférez-vous lire ?
  Je **préfère** lire les romans policiers. (**Don't say 'je préférez'.**)

  Allez-vous au cinéma ?
  Oui, je vais au cinéma. (**Don't say 'j'allez'.**)

  Aimez-vous voyager ?
  Oui, j'aime aller à l'étranger. (**Don't say 'j'aimez'.**)

- Use **pronouns**. They impress the examiner. Some are quite easy to use:
  'Êtes-vous allé à Paris ?' 'Oui, j'y suis allé l'année dernière.'
  'Aimez-vous le sport ?' 'Oui, je l'aime. / Non, je ne l'aime pas.'

- **Know your tenses!** This cannot be stressed enough. When you are asked questions in the 'passé composé', listen for key words such as '**Avez-vous vu** … ?' or '**Êtes-vous allé** … ?' because they tell you whether to say 'j'ai' or 'je suis' in your answer.

- To finish an answer as we do in English with 'and so on and so forth', 'etc.', 'and that's it', use:

Le golf, le tennis, la voile **et ainsi de suite**.

Les Anglais, les Italiens, les Allemands, **et c'est tout, je crois**.

- Many students **mix up** the meanings and / or pronunciation of:
  niveau – *level* (as in 'le niveau ordinaire' – *pass level*); nouveau – *new*.
  certain numbers: *cinq / quinze / cinquante; six / seize*.

- Words **relating to school** are often not known, for example:
  niveau supérieur / ordinaire
  des installations
  pause-déjeuner
  école primaire
  facultatif   *(optional)*
  matière   *(confused with 'métier')*
  l'informatique

- Words **relating to further study** are often not used:
  une formation   *(training for a job)*
  un stage   *(a course)*
  une licence   *(a degree)*

- 'Collège' is not a university! It is a junior secondary school.
- Students use the wrong word 'facilités' to describe 'les installations'. (You can also say 'les équipements'.)

- Many pupils think that 'to attend' school is 'attendre'. It isn't. Just say,
  'Je vais au lycée Sacred Heart'.

- Giving the **wrong tense** as a result of **misunderstanding** the question is a serious error. Thus, when candidates were asked, 'Qu'est-ce que vous allez faire **l'année prochaine** ?' some thought it meant 'last year', so they used the past tense. Learn: l'été dernier / prochain, la semaine dernière / prochaine.

- Know your **genders** for basic words such as: mon père, ma mère, sa sœur, mes parents, ma petite amie.

- The article 'de' instead of 'des' in certain cases: beaucoup de gens (**quantities**); je n'ai pas de frères (**negative**).

- Don't use **prepositions** when they are not needed in French:

  Nous avons regardé l'architecture. *We have been looking at the architecture.* ('at' is not needed)

  J'écoute des podcasts. *I listen to my podcasts.* ('to' is not needed)

  Be careful with other prepositions:

  en France *to / in France*

  à Dublin *to / in Dublin*

  Mon ami joue **au** foot / je joue **du** piano / elle fait **du** sport.

- Many irregular **past participles** are not known:

  J'ai dû jouer. *I had to play.*

  J'ai pris une limonade. *I had (took) a lemonade.*

- The difference between 'it is / there are':

  c'est *it is*

  c'était *it was*

  il y a *there is / there are*

  il y avait *there was / there were*

- Too many candidates answer merely 'oui' or 'non' rather than developing their answers.

- Take care when giving people's **ages**:

  J'**ai** dix-huit ans et ma sœur **a** vingt ans. (always use 'avoir')

- Note also the '**futur proche**':

  Je **vais** passer du temps à l'étranger. *I am going to spend some time abroad.*

Typical subjects

The following are some of the subject areas usually covered in the oral examination. Provided below are several sample dialogues presented in a question / response style.

1. If you're working alone at home, you could sit in front of a mirror and **ask yourself the questions**. Then speak aloud to yourself in the mirror, as if you are speaking to the examiner.

2. Read out one of the questions and record it on your phone, allowing a short pause for your answer, then read out the next question and so on. Next, play back the recording, listen to the questions and **respond aloud** as if you are speaking to the examiner.

These are good exercises for answering under pressure, timing your answers and saying them aloud. It's a simulated oral test.

Le sport

When you hear 'vous' twice, you know the verb is **reflexive**:

Vous vous intéressez à d'autres sports ?   *Are you interested in other sports?*

So you must reply '**Je m'**intéresse à …'

This is especially important when speaking in the past tense:

À quelle heure est-ce que vous vous êtes levé ce matin ?

Je me suis levé à sept heures.

> **Don't give one-word answers** like 'oui', 'non' or 'le foot' because you're putting pressure on the examiner to come up with more questions. You will lose out on vocabulary marks. Expand as shown here.

- **Vous pratiquez / faites du sport ? / Êtes-vous sportif / sportive ?**

  Oui, je suis sportif / sportive. J'aime les activités de plein air. Je joue au hockey ; je suis membre de l'équipe de l'école. Je m'entraîne avec l'équipe deux fois par semaine. J'ai marqué deux buts la semaine dernière.

- **Vous vous intéressez à d'autres sports ?**

  Bien sûr ! Je suis passionnée de cyclisme. Le dimanche matin, je roule vingt kilomètres. En été, je joue au tennis et je participe aux tournois. Je n'ai jamais rien gagné.

- **Quels sont les sports les plus populaires dans votre école ?**

  Ce sont le rugby, le badminton et le tennis. Le rugby est le plus populaire des trois.

- **Pourquoi est-ce qu'on préfère en général les sports d'équipe ?**

  Être membre d'une équipe, ça donne du plaisir. Il faut travailler en harmonie avec ses co-équipiers. On se fait beaucoup d'amis. On fait partie d'un groupe.

- **Que fait-on à l'entraînement de rugby / foot / hockey ?**

  On court, on saute, on fait des tractions et de la gymnastique. C'est dur et on est épuisé après l'entraînement. Mais on s'amuse !

- **Combien d'heures par semaine passez-vous à faire du sport ?**

  Hélas, la saison de rugby / foot / hockey est terminée. En ce moment j'étudie pour mon bac. Alors, je n'ai pas le temps pour le sport. Pendant la saison dernière, je me suis entraîné trois fois par semaine, avec un match chaque weekend.

- **Aimez-vous regarder le sport à la télé ?**

  Oui, je regarde la Coupe du Monde, les Jeux Olympiques, les courses de chevaux et ainsi de suite.

- **Êtes-vous membre d'un club de golf ?**

  Oui, je suis membre du club de Skerries. Qui plus est, je fais partie de l'équipe de l'école. Cependant, je suis en Terminale et je dois me consacrer à mes études.

- **À quoi bon le sport ?**

  C'est bon pour la santé, pour se tenir en forme. Quand on fait du sport, on ne s'ennuie pas. C'est important pour former le caractère. Certains pensent que le sport contribue au développement personnel. C'est aussi une période de décontraction.

- **À quoi sert l'exercice physique alors ?**

  Ça sert à maintenir une vie équilibrée. Il faut prendre de l'exercice. Ça vous tient en forme.

- **Croyez-vous qu'on attache trop d'importance au sport dans votre école ?**

  Non, mais l'éducation physique est obligatoire pour tout le monde. Si on fait partie de la première équipe de rugby / foot / hockey, on prend le sport au sérieux. C'est entendu. Pour le reste, on peut participer au sport si on veut. Ça me convient.

Vocabulary

Je suis sportif / sportive. *I am interested in sport.*	se consacrer à *to devote yourself to*
	se tenir en forme *to keep fit*
les co-équipiers *team-mates*	la décontraction *relaxation*
On fait des tractions. *We do press-ups.*	Ça me convient. *It suits me.*
et ainsi de suite *and so on*	Qui plus est *What's more; moreover*

L'argent de poche

- **Est-ce que vous recevez de l'argent de poche ? Est-ce que vos parents vous donnent de l'argent de poche ?**

  Oui, je reçois dix euros par semaine / ils me donnent dix euros par semaine.

- **Comment est-ce que vous gagnez de l'argent ?**

  J'ai un petit boulot au supermarché. Je gagne dix euros de l'heure.

- **Que faites-vous de cet argent ? Comment est-ce que vous dépensez l'argent ?**

  Je dépense mon argent pour mes frais de transport, mes affaires pour l'école, les friandises. J'achète aussi des CDs. En plus, je dois payer le prix d'entrée en boîte le samedi.

- **Vous croyez que ça suffit ?**

  Non, ça ne suffit pas. C'est dur de joindre les deux bouts. Tout est cher.

- **Avez-vous demandé à vos parents d'augmenter votre argent de poche ?**

  Certes, mais mes parents sont assez sévères. Ils ont déjà refusé. Ils m'ont dit que je devrais trouver un petit boulot pour avoir plus d'argent.

- **Est-ce qu'il vous faut faire de petits travaux à la maison en échange de l'argent de poche ? Est-ce que vous donnez un coup de main dans la maison ?**

  Oui, mais pas trop. Je range ma chambre et je fais la vaisselle. Le weekend, je passe l'aspirateur dans le séjour. Le lundi matin, je sors les poubelles. En été, je tonds la pelouse et lave la voiture. J'aide parfois à préparer les repas.

- **Est-ce que vous achetez des cigarettes ?**

  Non. Je ne fume pas. Je ne gaspille pas mon argent. Je travaille dur pour gagner mon argent.

- **Épargnez-vous de l'argent ?**

  Si je peux, je mets mon argent à la poste, où l'on me donne un bon taux d'intérêt.

- **Pourquoi faites-vous des économies ?**

  J'économise pour une moto que j'espère acheter d'occasion l'année prochaine.

- **Pensez-vous que les jeunes reçoivent trop d'argent de poche ?**

  Non, en général. En revanche, le coût de la vie est très élevé. Les affaires d'école et les sorties avec les copains coûtent cher.

- **Avez-vous un petit boulot en été normalement ?**

  Bien entendu. J'ai un boulot au supermarché près de chez moi. Ce n'est pas bien payé mais ça m'amuse. Je m'occupe des clients et je remplis les rayons.

Vocabulary

les friandises *sweets*	d'occasion *second-hand*
joindre les deux bouts *to make ends meet*	en revanche *on the other hand*
donner un coup de main *to give a hand*	Le coût de la vie est très élevé. *The cost of*
sortir les poubelles *to take out the bins*	*living is very high.*
le taux d'intérêt *the rate of interest*	

L'école

- **L'école, ça vous plaît ?**

  Oui, ça me plaît parfois. Cependant, on a trop de devoirs à faire. Tout compte fait, c'est normal en Terminale.

- **Qu'est-ce que vous aimez le plus à l'école ?**

  Ce que j'aime le plus c'est mes copines. Sans elles, ça serait très ennuyeux pour moi.

- **Et les profs ?**

  On s'entend bien. Les profs sont sympas et nous aident beaucoup. Il y en a une avec laquelle je me dispute *(There's one I argue with)*. Nous sommes tous différents, n'est-ce pas ?

- **Depuis quand étudiez-vous dans cette école ?**

  J'étudie ici depuis six ans.

- **Êtes-vous souvent en retard ?**

  Non, presque jamais. De temps en temps, quand la circulation est mauvaise, j'arrive en retard.

- **Combien de cours avez-vous pendant une journée typique ?**

  J'en ai neuf. C'est beaucoup.

- **Les cours durent combien de temps ?**

  Ils durent quarante minutes.

- **Qu'est-ce que vous faites pendant la récréation ?**

  Je traîne et bavarde avec mes copains dans la cour. On s'amuse un peu.

- **Quelle est votre matière préférée ? Pourquoi ?**

  Les maths, parce que j'aime faire des calculs. Je suis doué pour ça. J'aime bien les chiffres.

- **Y a-t-il une matière que vous aimez le moins / que vous ne pouvez pas supporter ?**

  Oui, je ne peux pas supporter le commerce. C'est trop ennuyeux.

- **Comment êtes-vous en gaélique ?**

  Je suis moyen en gaélique.

- **Quelles installations sportives y a-t-il dans votre école ?**

  On a un gymnase et une salle de musculation. Nous avons aussi des terrains de rugby. Il y a une piscine et une piste d'athlétisme. Nous avons de la chance.

- **Est-ce qu'on vous donne beaucoup de devoirs à faire ?**

  Bien sûr. On nous donne pas mal de devoirs.

Les écoles mixtes

- **Que pensez-vous des écoles mixtes?**

  Il y a le pour et le contre à ce sujet. Selon les profs qui enseignent dans ces écoles, les garçons ont tendance à dominer l'ambiance dans la cour et dans la classe.

- **Est-ce que les filles ont une influence sur les garçons ?**

  Oui, elles peuvent pousser les garçons à travailler plus dur, parce que les garçons ne veulent pas être gênés devant les filles. De l'autre part, les filles peuvent distraire les garçons.

- **Alors, c'est une bonne idée de mélanger tous les deux ?**

  Malgré tout, je suis d'avis que c'est plus naturel et sain d'éduquer les deux ensemble. Cela les rend plus mûrs et plus capables de s'intégrer socialement en dehors de l'école. Après tout, les hommes et les femmes travaillent ensemble dans la société.

Vocabulary

qui enseignent *who teach*	cela les rend … mûrs *that makes them*
pousser *to encourage, to urge*	… *mature (when 'make' is used with*
être gêné *to be embarrassed*	*an adjective like 'mature', then use*
	'rendre' instead of 'faire')

La scolarité

- **Est-ce que notre système d'éducation nous prépare pour la vie après l'école?**
  - Il y a ceux qui disent que c'est surchargé …
  - On exige des diplômes aujourd'hui…
  - Les élèves subissent le système de points – la course aux points pour entrer en fac …
  - Il faut développer la personnalité des étudiants pour survivre dans le monde.
  - Grâce à la mondialisation, on doit apprendre des langues étrangères.
  - Dans le domaine du sport, l'école développe les jeunes physiquement.

- **L'idée du contrôle continu, ça marche pour tout le monde?**

  C'est un avantage qu'on ne connaît pas l'examinateur. Alors, il n'y a pas de préjugé. Mais il faut trouver le juste milieu.

Vocabulary

surchargé *overburdened*	le préjugé *prejudice*
la course aux points *the points race*	trouver le juste milieu *to find the right*
la mondialisation *globalisation*	*balance*
le contrôle continu *continuous assessment*	

Useful expressions

Ça me prend dix minutes pour arriver ici.   *It takes me ten minutes to get here.*

Je passe mon bac (baccalauréat).   *I'm doing my Leaving Cert.*

On a une pause.   *We have a break.*

L'histoire, ça ne me plaît pas.   *I don't like History.*

Je trouve ça casse-pieds !   *I think it's a pain!*

Je parle espagnol couramment.   *I speak Spanish fluently.*

Je peux soutenir une conversation en allemand.   *I can hold a conversation in German.*

Je sais me servir d'un ordinateur.   *I can use a compuer.*

Je bosse tous les samedis matins.   *I study / work every Saturday morning.*

Je fais partie de l'équipe de tennis.   *I am in the tennis team.*

On porte un blazer à écusson.   *We wear a blazer with a badge.*

C'est démodé.   *It's outdated.*

Ce n'est pas « dans le vent ».   *It's not cool / up to date.*

J'ai fait l'école buissonnière.   *I mitched off school.*

On nous colle / on nous met en retenue le samedi.   *They put us in detention on Saturdays.*

Mes notes étaient moches.   *My marks were rubbish.*

Je fais de mon mieux.   *I do my best.*

Je préfère le contrôle continu.   *I prefer continuous assessment.*

1   **Ce que j'aime à l'école :**

On voit les copains et on s'amuse ensemble. On traîne avec la bande.

Il y a des matières que j'aime, telles que l'histoire. Ça m'intéresse.

Je fais du sport. J'aime les sports d'équipe.

2   **Ce que je n'aime pas :**

Je n'aime pas certains profs.

Il y a trop de règlements.

Il y a le racket. Ce n'est pas juste.

On ne fait pas assez de sport.

On nous donne trop de devoirs.

3 L'uniforme : Êtes-vous pour ou contre l'uniforme ?

Pour : Il nous donne une identité.

Il n'y a pas de pression entre les élèves par rapport à la mode.

On ne peut pas choisir les vêtements le matin.

Je trouve que c'est pratique.

Contre : Nous sommes des individus, et je veux porter ce que je veux.

Nous sommes tous les mêmes.

On a l'air d'être contrôlé.

La drogue

● **Est-ce qu'il y a un problème de drogues dans cette école ?**

Non, je ne pense pas qu'il y en ait.

> Subjunctive « ait » after verb of doubt.

● **Et dans votre quartier ?**

Oui, mais ce n'est pas aussi grave dans les lotissements que dans les cités. Il y a certains élèves qui se droguent. Pour moi, c'est idiot. C'est nuisible à la santé.

● **Pourquoi est-ce qu'on se drogue ?**

La plupart des toxicomanes sont des adolescents qui viennent des foyers touchés par la misère ou le chômage. Ces problèmes ne s'éloignent *(go away)* jamais. On se drogue par curiosité. En plus, il y a la pression exercée par les copains.

● **Est-ce qu'on vous a déjà offert des drogues ?**

Oui, ça s'est passé dans une boîte, mais je les ai refusées.

● **Est-ce qu'il existe dans les écoles une campagne contre la drogue ?**

Bien entendu. On enseigne aux élèves les dangers de la drogue et du dopage. Partout dans les couloirs, on voit des posters aux murs avec le message « À bas les drogues ! »

● **Que faut-il faire pour résoudre à ce problème ?**

Il faut que les pouvoirs publics exercent plus de pression sur les trafiquants. Les vedettes du cinéma et de la télé devraient condamner les drogues.

● **Êtes-vous pour ou contre la légalisation du cannabis ?**

Je suis pour, parce qu'on ne peut pas gagner la guerre contre les drogues. Donc, il faut surveiller l'usage des drogues et éduquer les jeunes au sujet des dangers – comme à l'égard de l'alcool. Quelques pays ont réduit le statut des drogues dites douces. Je crois qu'on doit aider les toxicomanes à renoncer aux drogues. En plus, je suis pour parce qu'on peut contrôler mieux la qualité et la distribution de la drogue si on a un permis de vendre la drogue. Le gouvernement peut percevoir des impôts sur le cannabis. On peut investir cet argent à l'éducation des jeunes au sujet des dangers des drogues.

ou

Je suis contre, parce que les drogues proprement dites douces mènent / conduisent aux drogues dures. Les consommateurs de drogues doivent recevoir une peine de prison au lieu d'une amende. Notre consommation de drogues rend les trafiquants plus riches. Ceux qui se droguent deviennent esclaves. Nous avons trop de toxicomanes en Irlande.

Vocabulary

les lotissements *well-off owner-occupied houses*	faire face à *to confront*
les cités *rented, low-cost council houses*	les trafiquants *dealers*
les toxicomanes *addicts*	les vedettes *stars*
renoncer *to give up*	percevoir des impôts *to collect taxes*
une amende *a fine*	un(e) esclave *a slave*

Votre quartier

- **Comment est-il, votre quartier ?**
  - Il est très chic / animé / tranquille / ennuyeux / bien desservi d'un transport commun / vieux / moderne.
  - Il y a une bibliothèque / un manque d'espace vert / un jardin public / une boîte de nuit.
  - Il n'y a rien à faire près de chez moi / dans mon quartier.
  - Il n'y a pas grand-chose pour nous les jeunes.

- **Que faites-vous pour vous amuser ?**
  - Je vais en ville.
  - Je traîne avec mes copines dans la grande surface.
  - Moi et mes copains allons chez des amis.
  - Je vais au club de jeunes pour rejoindre la bande.
  - Je rencontre mes amis au club pour jouer aux jeux vidéo et aux cartes.

- **Où voudriez-vous habiter, en ville ou à la campagne ?**
  - J'aimerais mieux déménager à la campagne parce que je n'aime pas la vie en ville.
  - Déménager, ça ne m'intéresse pas. La campagne est trop ennuyeuse et isolée.
  - Je préfère vivre dans une ville, parce que c'est plus vivant qu'à la campagne.
  - La vie rurale m'attire, parce qu'elle est plus paisible.
  - J'apprécie la nature plus que les bâtiments d'une ville.
  - C'est mieux d'habiter en ville quand on est jeune : il y a tant de choses à faire.
  - Être vieux à la campagne peut être solitaire et déprimant.
  - Où que vous alliez, on trouve des problèmes !

- **Comment sont vos voisins ?**
  - Ils sont / je les trouve mal élevés / gentils / sympas / arrangeants *(obliging)* / têtus / impolis.
  - J'ai un bon rapport / Je m'entends bien avec eux.

- Est-ce qu'il y a des installations près de chez vous ? Qu'est-ce qu'il y a à faire pour les jeunes ?

  Il existe de bonnes installations sportives / un centre omnisports / des bistrots / un foyer / un club des jeunes / des espaces verts / plein d'activités / des terrains de foot / un café / une grande surface / un centre commercial / une piscine / des courts de tennis.

Vocabulary

Il n'y a pas grand-chose. *There's nothing much.*	rejoindre la bande *meet up with the group*
traîner avec *to hang out with*	déprimant *depressing*
la grande surface *shopping centre*	où que vous alliez *wherever you go* (subjunctive)

Les langues vivantes

- **Depuis quand apprenez-vous le français ?**

  J'apprends le français depuis cinq ans.

- **Avez-vous eu le choix entre plusieurs langues en sixième ?**

  Non, c'était obligatoire d'étudier le français. Mais on avait le choix entre l'allemand et les travaux manuels. Il est important d'apprendre une langue.

- **Le français, ça vous intéresse ?**

  Oui, ça m'attire beaucoup. Je crois être doué pour ça.

- **Pourquoi est-ce qu'on étudie les langues vivantes ?**

  Parce qu'on doit savoir parler au moins deux langues pour obtenir un bon emploi et pour mieux communiquer avec nos partenaires européens. Après tout, nous faisons la plupart de notre commerce avec l'UE.

- **Y a-t-il d'autres raisons pour étudier une langue étrangère ?**

  Oui, certes. Il faut savoir se débrouiller quand on se trouve dans un pays étranger. Qui plus est, il y a de plus en plus d'emplois dans le domaine du tourisme.

- **Comment trouvez-vous la grammaire française ?**

  Je la trouve assez difficile. Il faut que je me rattrape constamment.

- **Quelle est la meilleure façon d'apprendre une langue ?**

  Selon moi, il faut aller dans le pays d'origine et y rester pendant deux ans.

- **Avez-vous des projets pour aller à l'étranger ?**

  Oui. J'ai envie d'aller en France pour travailler comme cuisinier.

- **Pourquoi la France dans ce cas ?**

  Parce que c'est le centre de la haute cuisine. Tous les meilleurs chefs ont étudié en France.

- **Est-ce que vous vous exercez à parler français en classe ?**

  Bien sûr. Le prof nous divise en groupes et nous nous parlons en français.

Vocabulary

en sixième   *first year in French schools (the French operate in reverse order)*
se débrouiller   *to cope*
Est-ce que vous vous exercez à ... ?   *Do you practise ... ?*

La musique

- **Écoutez-vous de la musique ?**

  Ah oui ! C'est mon passe-temps favori. J'écoute toutes sortes de musique, telles que le jazz, le rock et ainsi de suite.

- **Est-ce que vous jouez d'un instrument ?**

  Oui, je joue de la guitare.

- **Vous exercez-vous beaucoup ?**

  Bien entendu. Je joue pendant au moins huit heures par semaine, dont deux heures chez mon copain. Nous avons formé un groupe.

- **Très bien ! Vous avez beaucoup de succès ? Vous donnez des représentations dans des boîtes, à des fêtes ?**

  Pas vraiment. En fait, pas du tout parce que nous ne sommes pas formidables ! On fait des efforts. En même temps, on s'amuse.

- **Depuis quand êtes-vous guitariste ? Quand est-ce que vous avez commencé à jouer de la guitare ?**

  J'ai commencé à prendre des cours à l'âge de quatorze ans. J'apprenais à jouer du piano à l'école depuis trois ans, mais ça m'ennuyait. J'ai trouvé ça trop difficile.

- **Est-ce que vous assistez souvent à des concerts ?**

  Pas souvent. Seulement quand un supergroupe, tel que « BTS », donne une représentation. Pourtant, ça coûte très cher d'aller aux concerts.

- **Êtes-vous membre de l'orchestre de l'école ?**

  Oui, je joue dans l'orchestre de temps en temps, quand il y a une séance.

Que feriez-vous si ... ? *(What if ... questions)*

- **Si vous étiez ministre de l'éducation, quels changements feriez-vous dans l'éducation ?** *If you were the Minister for Education, what changes would you make to the school system?*

  Si j'étais ministre :

  - je mettrais en place le contrôle continu à la place des examens, mais pas tous les examens.

  - je réduirais le nombre de matières que les élèves doivent étudier, parce qu'il y a trop de pression à l'école.

– j'augmenterais le nombre de places à la fac pour diminuer les points nécessaires pour entrer dans la fac.

– je mettrais plus d'investissement dans les écoles pour fournir des équipements tels que les labos, les gymnases et les bibliothèques.

Vocabulary

je rendrais *I would make*	je mettrais en place *I would set up / put in place*
J'annulerais les examens sauf les examens blancs. *I would cancel exams except for the mocks.*	le contrôle continu *continuous assessment*
améliorer *to improve*	augmenter *increase*
	fournir des équipements *to provide facilities*

For more on this subject, refer to p. 178.

- **Que feriez-vous si vous gagniez le gros lot ?** *What would you do if you won the lotto?*

  Si je gagnais le gros lot :
  - j'en partagerais avec ma famille et mes amis.
  - j'en donnerais beaucoup aux pauvres / à une organisation caritative.
  - je voyagerais / j'irais à l'étranger.
  - j'achèterais une belle maison pour mes parents.
  - j'en économiserais pour l'avenir.

Vocabulary

en *some*	une organisation caritative *a charity*
j'en partagerais *I would share some of it*	j'économiserais *I would save*

L'internet et les ordinateurs

- **Avez-vous un ordinateur à la maiso ?**

  Oui, j'en ai un dans ma chambre

  > Note the use of the pronoun en = of them, i.e. I have one of them at home.

- **Utilisez-vous un ordinateur à l'école ?**

  Oui, nous utilisons des ordinateurs pour étudier le travail de bois, les langues vivantes et ainsi de suite. Nous pouvons faire nos projets sur l'ordinateur. Nous avons des ordinateurs portatifs que nous portons de classe en classe. J'ai aussi un ordinateur chez moi comme j'ai déjà dit.

- **C'est facile ?**

  Bien sûr, même les enfants savent manier un ordinateur. Pour surfer sur Internet, on doit juste taper un moteur de recherche, on clique sur un site web, et on y est !

- **Les ordinateurs, sont-ils importants ?**

  Savoir utiliser un ordinateur est nécessaire. Ça fait partie de la vie quotidienne. Presque tout le monde l'utilise au travail. On doit être initié à l'informatique.

- **Pourquoi est-ce que vous utilisez Internet ?**

  Je l'utilise pour / je m'en sers pour ...

> In this case, 'en' is used in place of de + le = of it. 'se server de = to make use of'.

- **Que faites-vous sur Internet ?**

  - J'achète des billets de concert.

  - J'envoie des méls à mes amis.

  - Je peux télécharger de la musique.

  - Je lis les informations.

  - Je joue aux jeux vidéos.

- **Y a-t-il des dangers ?**

  Certes, il y a de l'escroquerie et des arnaques. Il y a des escrocs qui volent de l'argent. Il faut aussi surveiller les enfants. Il y a de mauvaises influences en ligne. Il existe le cyberharcèlement. Ça, c'est affreux.

- **Est-ce que les ordinateurs remplacent les hommes et les femmes ?**

  Ils ont déjà remplacé des hommes et des femmes. Beaucoup de postes sont menacés par l'intelligence artificielle et aussi par les automates. Bien des gens sont au chômage à cause de la technologie parce que les ordinateurs peuvent maintenant faire de nombreuses tâches jusqu'ici effectuées par des personnes. De nos jours, c'est l'époque de l'informatique.

- **Mais qu'est-ce qu'on peut faire ?**

  N'oubliez pas qu'il y a aussi bien des emplois dans ce domaine. On doit apprendre de nouvelles compétences.

Vocabulary

l'ordinateur portatif *laptop*	le cyberharcèlement *cyber bullying*
savoir manier *to know how to handle*	Il m'aide dans mes études. / Je fais des
Ça fait partie de la vie quotidienne. *It's a part of daily life.*	recherches. *It helps me in my studies / I do research.*
On doit être initié à l'informatique. *You have to be computer literate.*	juste pour m'amuser *just for fun*
télécharger *to download*	numérique *digital*
une arnaque *a scam*	des coups de cœur *favourites*
un escroc *swindler*	un lien *a link*
jusqu'ici *up to now*	un clavier *a keyboard*
	taper *to type*

Refer to page xx**??? for more on cyber bulling.

Télévision et cinéma

- **Est-ce que vous regardez souvent la télé ?**

  Je la regarde tous les soirs / quatre fois par semaine.

> Use pronouns like 'la' = it.

- **Qu'est-ce que vous aimez regarder ?**

  J'aime regarder les feuilletons / les émissions sportives / les actualités / les informations / les dessins animés / les jeux télévisés.

- **Ça commence à quelle heure ?**

  Ça commence à huit heures et demie.

- **Quand est-ce qu'il passe ?**

  Il passe tous les mercredis.

- **Comment trouvez-vous les feuilletons australiens ?**

  Je les trouve assez bons / ennuyeux / affreux.

- **Qu'est-ce que vous pensez de … ?**

  Ça m'intéresse beaucoup / ça ne m'intéresse pas tellement / je pense que c'est … / j'aime ça / je n'aime pas ça / ça ne me dit pas grand-chose.

- **Quel genre d'émissions / films préférez-vous ?**

  Je préfère les films d'horreur parce que je les trouve passionnants.

- **Allez-vous souvent au cinéma ?**

  J'y vais toutes les semaines / une fois par mois.

Vocabulary

Qu'est-ce que tu en penses ? *What do you think of it?*	Ça m'embête. *It annoys me.*
Il s'agit de … *It's about …*	Ce n'est qu'un moyen d'évasion. *It's just a form of escape.*
Ça m'amuse / m'attire parce que … *It's funny / it appeals to me because …*	des heures de passivité *hours of passive viewing*
J'ai horreur de ce genre de film. *I hate that type of film.*	

Mon séjour en France

- **Quelles sont les différences entre l'Irlande et la France que vous avez remarquées ?**

  – D'abord, la cuisine. On mange bien en France. On n'utilise pas trop le four à micro-onde. On mange beaucoup de plats faits « maison ». Les légumes sont très frais. J'ai surtout aimé les escalopes et les glaces.

  – Les heures des repas sont différentes. Le soir, on dîne plus tard et le dîner dure une heure et demie.

  – Les écoliers ne portent pas d'uniforme. Les cours commencent à huit heures et se terminent à cinq heures avec deux heures pour la pause déjeuner.

  – Il ne pleut pas aussi souvent qu'en Irlande.

  – Je trouve que les Irlandais sont plus aimables et plus accueillants que les Français. Nous sommes moins ouverts que les Français.

Vocabulary

accueillant *hospitable*	ouvert *open*

Le stage de travail dans l'année de transition

- **Qu'est-ce que vous avez fait comme stage de travail ?**

  J'ai travaillé dans un bureau / une station service / un bistrot / une usine.

- **Quels étaient vos horaires de travail ?**

  J'ai travaillé de 8 heures du matin jusqu'à 6 heures du soir, chaque samedi / le weekend / de lundi à vendredi …

- **Est-ce qu'on vous a payé ?**

  Oui, on m'a donné 8 euros de l'heure / non, rien / on ne m'a rien payé.

- **Qu'est-ce que vous avez fait ?**

  J'ai mis les marchandises sur les rayons / aidé les clients / fait du classement / vendu des vêtements / répondu au téléphone / servi les clients / travaillé sur l'ordinateur.

- **Qu'est-ce que vous avez pensé de l'emploi ?**

  C'était ennuyeux / moche / casse-pieds / assez bon / intéressant / fatigant.

- **Est-ce que vous voudriez faire ce travail comme métier ?**

  Certainement pas / je ne sais pas / oui, j'aimerais faire ça / pas du tout / ça ne m'attire pas / ça ne me dit rien / ça ne me convient pas.

Vocabulary

Ça ne me dit rien.	*It does nothing for me.*	Ça ne me convient pas.	*It doesn't suit me.*

Document

This is a picture, photo, project, magazine article or extract from a French book that interests you. It could also be a collage, but it cannot all be examined in such a short time. You present this to the examiner, who will then ask you questions about it. It **does not** have to relate to France, and must not be taken from a textbook.

There is **no set time** for this aspect of the oral, nor are there **specific marks** for it.

- Remember that the examiner won't have read or seen your document until you produce it at the exam. This can be to your advantage because the range of questions should be limited.

- The time involved depends on how well prepared you are.

- It is likely that this section of the Oral Exam will take place during the **second half** of the test and will be included as part of the normal conversation.

- Try to **anticipate** the questions that you could be asked. You could **ask friends or family** to view your document and pose questions about it.

- The document **must be on paper** – it cannot be a model or sculpture.

- If the student is very capable, the examiner **may home in on one detail**, e.g., where a project concerns a football team, the examiner may touch on themes such as professionalism in sport, excessive pay for players who are too young, drugs in sport, etc. You should be well prepared.

Questions may not always be **open-ended** like « Parlez-moi de votre projet », but there must be a dialogue. If the document is a project or painting, you may be asked:

- De quoi s'agit-il ?   *What's it about?*
- Pourquoi êtes-vous intéressé par ce sujet ?   *Why are you interested in this subject?*

Then the dialogue may develop thus:

- Du côté de la musique, quel genre de musique préférez-vous ?   *On the subject of music, what's your favourite genre?*
- Depuis quand jouez-vous au hockey ?   *How long have you been playing hockey?*
- Votre voyage en bateau, parlez plus de ça.   *Tell me more about your boat trip.*

This part of the Oral Exam is not intended to be a descriptive exercise, i.e., you should not expect to merely describe what is in the photo or picture, but to discuss it. For example, if the document is a photo of your favourite football team, you are **unlikely** to be asked:

- Qu'est-ce que c'est à gauche ?   *What's on the left?*
- Qui est-ce à droite ?   *Who's on the right?*

More likely the conversation will take the following course:

- **Pourquoi avez-vous choisi Chelsea comme équipe favorite ?**

  Parce que c'est une très bonne équipe au jeu passionnant. Leur manager est excellent. Ils gagnent beaucoup de trophées.

- **Êtes-vous jamais allé à Stamford Bridge voir Chelsea ?**

  Malheureusement, non. Je n'ai pas les moyens d'y aller / non, je n'y suis pas allé, peut-être l'année prochaine.

- **Avez-vous acheté le maillot de Chelsea ?**

  Oui, bien sûr. Je le porte quand je traîne avec mes amis. Ça m'a coûté cinquante euros.

- **Pensez-vous que les joueurs des équipes anglaises sont trop bien rémunérés / payés ?**

  Mais oui, certes. C'est honteux et ridicule. Personne ne mérite un tel salaire. Ils reçoivent trop d'argent quand ils sont trop jeunes. Par conséquent, les billets de match coûtent plus cher. Les footballeurs sont très gâtés.

- **Est-ce qu'il y a de la violence aux matchs de foot ? Pourquoi ?**

  Non, pas vraiment. Les stades sont sûrs pour les familles. Il y a plus de violence sur le terrain entre les joueurs. Je n'ai pas vu de violence parmi les spectateurs. Ceux qui provoquent la violence sont interdits d'entrée.

Photo

The details in the photograph may lead to a discussion on some related theme. For example, a photo of a French holiday might lead to a discussion about the **differences between Ireland and France**.

Sample questions

Quelles différences avez-vous remarquées entre les Français et les Irlandais ?
Et entre l'Irlande et la France ?

Sample answers

D'abord, le temps en France est meilleur qu'ici en été.
La cuisine est très différente et variée. On mange beaucoup de légumes crus *(raw)* et de poisson. Ça dépend de la région.
Les Français sont polis et plus ouverts que les Irlandais.
Les rues sont plus propres qu'en Irlande.

The following questions could be asked if the document is a **holiday photo**:

Qui est dans cette photo ?
Où avez-vous pris la photo ? Qui a pris la photo ?
Vous y êtes allé en vacances ? Quand ?
Avez-vous pris le ferry ? De Cork ?
Avez-vous eu le mal de mer *(did you get seasick)* ?

Picture stimulus

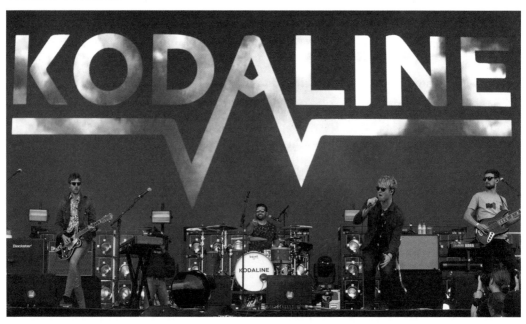

Sample conversation

Examinateur : Qu'est-ce qu'il se passe dans cette image ? *(What's going on in this picture?)*

Étudiant(e) : C'est mon groupe favori, Kodaline. Ils donnent une représentation à la salle O$_2$. Ils sont sur la scène. *(It's my favourite group, Kodaline. They are performing at the O$_2$. They are on the stage.)*

Examinateur : Pourquoi avez-vous choisi cette image ? *(Why did you choose this picture?)*

Étudiant(e) : Je l'ai choisie parce que la musique m'intéresse beaucoup. Ça, c'est mon passe-temps préféré. Quand j'ai un moment de loisir, je passe un album de ce groupe. J'ai vu le groupe à un concert. C'était formidable. *(I chose it because I am very interested in music. It's my favourite pastime. When I get a moment's free time, I put on one of the group's albums. I saw the band at a concert. It was great.)*

Vocabulary

les montagnes russes *roller-coasters*	Elle souligne le problème de nos rues sales. *It (fem) highlights the problem of our dirty streets.*
le centre aquatique *waterworld*	
les toboggans *slides*	
au premier plan *in the foreground*	Je trouve cette image passionnante / inquiétante / frappante. *I find this picture exciting / worrying / striking.*
à l'arrière *in the background*	
se bronzer *to get a tan*	
prendre un bain de soleil *to sunbathe*	Parce qu'elle me fait penser à un roman que j'ai lu. *Because it reminds me of a novel that I read.*
Cette image montre le parc d'attractions. *This picture shows a theme park.*	

Novel / Article

Sample conversation

Examinateur : Cet article est tiré de *(is drawn from)* quel texte ?

Étudiant(e) : Il provient d'une revue *(it comes from a magazine)* qui s'appelle « l'Express ».

Examinateur : Lisez-vous souvent ce magazine ?

Étudiant(e) : Non, ma mère l'achète une fois par mois.

Examinateur : Bon, alors, de quoi s'agit-il, cet article ? *(Good, so what's the article about?)*

Étudiant(e) : Il s'agit d'un ... *(It's about a ...)*

Project

Sample questions

Quel était le but *(objective)* de ce projet ?

Est-ce que tout le monde a dû faire le projet ?   *Did everyone have to do the project?*

Quelle note avez-vous reçue ?   *What mark did you get?*

Avez-vous gagné un prix ?   *Did you win a prize?*

Pourquoi avez-vous choisi ce projet ?   *Why did you choose this project?*

Vocabulary

Il provient ...	*It comes from ...*	Qu'est-ce qu'il se passe ... ?	*What's happening ...?*
De quoi s'agit-il ?	*What's it about?*	Je l'ai choisi(e) ...	*I chose it ... (remember to*
Il s'agit de ...	*It's about ...*		*include pronouns)*

Photograph

Sample conversation

Examinateur : Qu'est-ce qu'il se passe dans cette photo ?

Étudiant(e) : Il s'agit du problème du cyberharcèlement.

Examinateur : C'est quoi, le cyberharcèlement ?

Étudiant(e) : C'est une sorte d'intimidation qui a lieu en ligne sur les réseaux sociaux. Il peut prendre plusieurs formes telles que des insultes, menaces ou moqueries. On peut aussi pirater des comptes et usurper les identités digitales.

Examinateur : Pourquoi avez-vous choisi ce document ?

Étudiant(e) : Parce que c'est un problème énormément grave parmi les jeunes. Beaucoup de jeunes souffrent de ce racket. Il est en augmentation *(it's on the rise)*.

Examinateur : Connaissez-vous quelqu'un qui a été victime de ce harcèlement ?

Étudiant(e) : Non, je ne connais personne mais il y a des victimes dans mon école, j'en suis sûr.

Examinateur : Souvent, il y a des messages sexuels.

Étudiant(e) :	Oui, ça s'appelle le sexting, c'est-à-dire une contraction de sexe et texting. On trouve aussi des photos ou des vidéos de la victime. C'est si malfaisant *(harmful / evil)*. Ça fait mal aux victimes.
Examinateur :	Qu'est-ce qu'on peut faire pour résoudre ce problème ?
Étudiant(e) :	D'abord, on doit préserver ses données privées telles que son nom, prénom, date de naissance et adresse email. Ces détails sont souvent demandés par une autre personne. On ne doit pas les afficher sur son profil. Il faut aussi sécuriser son mot de passe. De plus, je crois qu'une augmentation des punitions peut être une solution.
Examinateur :	Merci. C'est vrai que c'est un sujet très important.

French item

Sample conversation

Examinateur :	Depuis quand apprenez-vous le français ?
Étudiant(e) :	Je l'apprends depuis six ans.
Examinateur :	Pourquoi doit-on étudier le français ?
Étudiant(e) :	Alors, il y a des élèves qui l'étudient juste pour entrer dans la fac. Mais on doit l'apprendre pour connaître les Français, leur histoire et culture, et leurs attitudes.
Examinateur :	Croyez-vous que c'est essentiel d'apprendre une langue vivante ?
Étudiant(e) :	Oui, c'est indispensable pour le commerce et le tourisme. On devrait être bilingue dans le monde actuel.
Examinateur :	Est-ce que la France et l'Irlande s'entendent bien ?
Étudiant(e) :	Mais oui, elles sont amis depuis des siècles. Nous sommes tous les deux membres de l'UE avec la même monnaie. Il y a des milliers d'Irlandais qui passent leurs vacances en France. Donc, il faut apprendre leur langue.

Postcard

Sample conversation 1

Greetings from
Galway, Ireland

Examinateur :	Où étiez-vous ?
Étudiant(e) :	J'étais dans le Galway avec ma famille. Mes parents ont un gîte au Connemara.
Examinateur :	Aimez-vous la tranquillité ?
Étudiant(e) :	Oui, ça m'amuse beaucoup. J'aime beaucoup le calme. On fait des randonnées à la campagne ou en montagne pour respirer l'air frais. J'adore la nature, c'est très délassant.
Examinateur :	Voyager, ça vous plaît ?
Étudiant(e) :	Oui, ça me fait grand plaisir de voyager, surtout en Irlande ou en Angleterre. Quand j'ai l'occasion, j'aime quitter la grande ville pour partir à la campagne.
Examinateur :	Avez-vous envie de passer un séjour à l'étranger ?
Étudiant(e) :	Non, je n'ai pas envie de passer des vacances à l'étranger, par exemple, dans les stations balnéaires en Espagne, où se trouvent des milliers de gens. Il n'y a pas de paix dans les foules. On ne peut pas se relaxer. Ce que j'aime le mieux, c'est la solitude.
Examinateur :	Aimez-vous voyager en avion ?
Étudiant(e) :	Bien sûr, j'aime voyager en avion, ça me plaît beaucoup. C'est très pratique de prendre l'avion, et pas si cher.
Examinateur :	Où voudriez-vous aller ?
Étudiant(e) :	Je voudrais visiter Jersey. Mon cousin y habite. Ryanair assure la liaison *(connects)* Dublin–Jersey assez rarement. Je ferai ce trajet aussitôt que *(as soon as)* j'aurai les moyens *(I can afford)* d'acheter un billet.
Examinateur :	Avez-vous des projets pour cet été ?
Étudiant(e) :	Pour mes vacances d'été, après le bac, je compte rester chez moi.

Sample conversation 2

Examinateur :	Aimez-vous les voyages ?
Étudiant(e) :	Les voyages ? Oui, ça peut aller. Je ne suis pas passionnée par les voyages dans les pays étrangers. Cependant, l'année dernière, à l'âge de seize ans, j'ai dû faire un échange scolaire avec une jeune fille française. Je faisais mon année de transition.

Examinateur : Comment ça s'est passé ? *(How did that go?)*

Étudiant(e) : Ça s'est bien passé *(it went well)*. Alors, je suis partie rester à La Rochelle, une ville très animée dans l'ouest de la France. Tout d'abord, arrivée à La Rochelle, j'étais inquiète et un peu dépaysée *(like a fish out of water / disoriented)*. J'avais le mal du pays *(I was homesick)*. Mais, ça n'a pas duré longtemps. J'ai trouvé la famille française aimable et accueillante *(welcoming)*. Les adolescents de la famille m'ont bien traitée. Je me suis habituée au temps ensoleillé. Les Françaises et moi, nous nous sommes bien amusées.

Examinateur : Comment avez-vous passé les jours ensoleillés ?

Étudiant(e) : On est allé à la plage pour nager tous les jours. La mère de Brigitte nous a emmenées partout. On a loué des vélos et j'ai vu de très beaux paysages.

Examinateur : Avez-vous aimé la cuisine ?

Étudiant(e) : Pas vraiment. La nourriture irlandaise me manquait beaucoup ! On a mangé trop de poisson.

Examinateur : Et cette année ?

Étudiant(e) : J'ai l'intention de faire de l'auto-stop dans le Kerry. C'est un beau comté.

Examinateur : Mais c'est dangereux, n'est-ce pas ?

Étudiant(e) : Pas trop. D'ailleurs, je serai avec mon petit ami. Ça ira bien. En tout cas, nous connaissons la région.

Vocabulary

There are a few ways of expressing your future plans using the same verb:

Je voyage en Espagne en juin.   *I'm travelling to Spain in June.*

Je vais voyager en Espagne.   *I'm going to travel to Spain.*

Je voyagerai en Espagne.   *I will travel to Spain.*

Sample conversation 3

Examinateur : Quand avez-vous fait le séjour à l'étranger ?

Étudiant(e) : C'était le 6 juin / le mois dernier / l'année dernière / la semaine dernière …

Examinateur : Où êtes-vous allés ?

Étudiant(e) : Nous sommes allés en Afrique du Sud / en Martinique / au Canada / en Chine …

Examinateur : Avec qui ?

Étudiant(e) : Avec ma famille / des amis / ma classe / l'équipe de l'école / mes copines …

Examinateur : Comment est-ce que vous y êtes arrivés ?

Étudiant(e) : On a voyagé en avion / en bateau …

Examinateur :   Qu'est-ce que vous avez fait ?

Étudiant(e) :   Nous avons vu la Basilique / nous avons vu les animaux sauvages / j'ai été au Musée d'Orsay / on a visité la Floride …

Examinateur :   Quel temps faisait-il ?

Étudiant(e) :   Il faisait du soleil / il pleuvait / il y avait des nuages / il faisait de l'orage …

Examinateur :   C'était comment, le séjour ?

Étudiant(e) :   C'était cassepieds / décevant / affreux / moche / pénible / épouvantable …

Examinateur :   Pourquoi ? Qu'est-ce que s'est passé ? Est-ce qu'il y a eu des problèmes ?

Étudiant(e) :   On nous a volé nos cartes de crédit / on a eu le mal de mer *(we got seasick)* / on a eu la grippe / on est tombé en panne sèche *(we ran out of petrol)* / on s'est perdus / j'ai eu un coup de chaleur …

Leaflet

Sample conversation

Examinateur :   Pourquoi avez-vous choisi cette image pour votre document ?

Étudiant(e) :   Parce que cette image aborde le thème *(deals with the subject)* de l'environnement. Je m'inquiète de l'environnement qui est menacé constamment par la pollution et les déchets. Il faut recycler tout ce qu'on peut *(all we can)*.

Examinateur :   Que faites-vous pour aider ?

Étudiant(e) :   Je ne jette rien par terre. Je fais du recyclage à la maison, par exemple, nous faisons du compost avec nos déchets organiques. Je ne gaspille pas *(I don't waste)* d'énergie. Si je ne porte plus certains vêtements, je les donne à l'organisation caritative *(charity)* St Vincent de Paul. En plus, nous avons un bac vert chez nous, et j'y jette les journaux, les emballages, les prospectus et les boîtes de conserve.

Examinateur :   Y a-t-il un centre de recyclage près de chez vous ?

Étudiant(e) :   Oui, il y en a un où j'apporte *(bring)* nos bouteilles en verre. C'est très convenable.

Examinateur :   Est-ce qu'il y a d'autres bacs chez vous ?

Étudiant(e) :   Oui, nous avons un bac brun pour la nourriture cuite et un bac noir pour le reste.

Examiner's report on the document

Students who prepared their documents very well scored higher marks. These students succeeded for one or more of the following reasons:

- They were very interested in the topic their document related to, so they could talk more about it.
- They had prepared in advance the relevant vocabulary for discussing their document.
- They had practised answering possible questions.
- They had selected a topic that was different from those chosen by the other students in the class.

If your document has a similar theme to many other students', you can take a different approach to that common theme. For example, if many documents in your class are photos of favourite football teams, then it would be a good idea to take a different angle. It could be a photo of yourself, playing for your own football team. That way, rather than the conversation following the same pattern as everyone else's, it can develop into themes such as the importance of exercise for young people, your training, your position in the team, where or in what league you play, your other favourite sports.

On the other hand, many of those who produced a document could not develop the content beyond the picture. For example, some pupils had a photo of their favourite footballer, but couldn't answer questions around that topic, e.g. other players on the team or sports in general. Also, when they brought in a photo of their holidays, they couldn't say what activities they did, other than « Je suis allé à la plage », or what food they ate, other than « la pizza ».

Answers were sometimes monosyllabic: « Avez-vous visité des sites historiques? » « Non ».

The exploration of the document soon dried up.

Notable errors

- « Aimez-vous l'école ? » was not understood by some students.
- « Est-ce que vous recevez de l'argent de poche ? » was almost always not understood.
- Other common terms such as « lecture » (reading), « installations » (facilities), « ordinateurs » (computers) and « collège » (secondary school) caused difficulties.
- The present tense was often mispronounced: « je passé , j'acheté, je joué, je voyagé, je travaillé », etc. The same structures were also used for the *passé composé*.
- « Je faire, je aller, je voulez » were used for the present tense. Tenses, in general, were mixed up. Also, « je suis allé » was used for « je vais ».
- For the *passé composé* « j'ai allé, je allé, je voir » were regularly heard.
- Adjectives used were invariably « facile, bon, difficile, fantastique ». Little originality here.

- Adverbs were rare, apart from « bien ».

- « J'ai » was often used for « il est » : « Pourquoi aimez-vous l'anglais ? » – « Parce que j'ai intéressant ».

- Frequently heard was « ma sœur *est* vingt ans / je *suis* 18 ans » instead of « ma sœur *a* ... / j'*ai* ... ».

- Students often could not say what they used computers for, nor talk about the internet.

2 Listening Comprehension (*Épreuve aurale*)

aims

- To prepare for the aural exam by listening to spoken French.
- To enable you to answer questions on what you have heard.
- To learn the relevant vocabulary for the Listening Comprehension.

exam focus

Percentage = 20%
Marks = 80
Time = 40 minutes

Before the exam:

- **Practise** listening to French speakers as much as possible. You could also tune in to French radio or watch TV5 and French films.

- Keep a small **notebook** to jot down vocabulary relating to different topics that appear in the trial CDs used in class during the year. This '**carnet de vocabulaire**' would also be useful for the opinion / reaction questions.

- Learn basic **vocabulary,** e.g. numbers, weather, emotions, occupations and adjectives. A considerable percentage of answers relate to numbers (numbers killed, number of years, prices of goods, etc.).

- Listen to a **French film or radio show on the morning** of the French exam to attune your ear to the language.

During the exam:

- The supervisor must give you **5 minutes** before starting the CD to read the questions and instructions. Use this time fully and sensibly. Avoid the temptation to look around at your classmates. This will make you more nervous!

- Note also the **number of times** that a section will be **played**. It's usually three times for Sections I to IV but twice for Section V.

- All students have a tendency to write down answers while the CD is still playing. However, while you're writing, the CD continues and so you won't hear the rest of the text. Instead, **write answers during the gaps** on the CD.

- If you don't know the answer to a question, at least **guess**! A blank line earns a zero.

- Always **read the questions before listening** to the CD. This way, you will know what to expect in terms of vocabulary and content.

- You can write **two answers on the same line** (unlike in the Reading Comprehension, where they are marked as one).

- If you have to change an answer, make it **very clear** to the examiner.

Sample listening comprehension 1

Transcripts and solutions are on pp. 179–181 and 189–190.

Section I

 *Track 20*

You will hear a report on an incident concerning a young baby.

1. (i) On what date did this incident occur?

    ....

    (ii) What was the exact sentence handed down to Éric Allarousse?

    ....

2. (i) At whose house was Éric intending to stop on the way to work?

    ....

    (ii) What did he witness on the way?

    ....

3. (i) What had Éric forgotten?

    ....

    (ii) What does the passage say about the relative body heat of adults and children?

    ....

Vocabulary

un accrochage	*a fender-bender, bump, collision*

Section II

 *Track 21*

Listen to an interview with Erik Orsenna, writer and member of the French Academy, on the subject of the world's water supply.

1. (i) Mention **two** examples of hardship in certain countries, according to Erik Orsenna.

    ....

    ....

    (ii) Give **two** causes for the water crisis facing these countries.

    ....

    ....

    (iii) How does meat production affect the demand for water?

    ....

    ....

2. According to Erik, how do the supplies of water and oil differ?

    ....

3.   (i) What will happen to China and India in the future?

. . . .

     (ii) What causes the majority of illnesses in the poorer countries?

. . . .

Vocabulary

| l'assainissement | *purification / decontamination* |

Section III   Track 22

Listen to this interview with Emma Watson, who plays Hermione Granger in the Harry Potter films.

1.   (i) How does Emma show that she has always been a serious pupil at school?

. . . .

     (ii) In what way did the film-makers assist her in her studies?

. . . .

2.   (i) What steps has Emma taken to enter a university?

. . . .

     (ii) What is she impatient to become?

. . . .

3.   According to herself, what kind of girl is she?

. . . .

Section IV   Track 23

Listen to an interview with Mika.

1.   (i) What does Mika do to convince people that he is not a fleeting star (*une étoile filante*)?

. . . .

     (ii) Apart from hits (*des tubes*), what does he wish to have?

. . . .

2.   (i) When did Mika first realise Lady Gaga's potential?

. . . .

     (ii) What **two** things does he admire about Lady Gaga?

. . . .

. . . .

3. According to Mika, under what circumstances could Grace Kelly not have been written?

    . . . .

4. Give **two** examples of financial difficulties encountered by his family:

    . . . .

    . . . .

Section V   Track 24

Listen to these short news items.

1. (i) In what country was the world's oldest musical instrument discovered?
       . . . .

    (ii) How old were other artefacts found in the Pyrenees?
       . . . .

                                                                 Track 25

2. (i) What do women who work in offices suffer from more than men?
       . . . .

    (ii) What do researchers recommend, and how often?
       . . . .

Sample listening comprehension 2

Transcripts and solutions are on pp. 182–183 and 190.

Section I   Track 26

A student, Aurélie, gives her views on sport.

1. Why does she like team sports?
    . . . .

2. What has she won in competitions?
    . . . .

3. What is she training for at the moment?
    . . . .

4. Why does she want to join a hockey club after the Leaving Certificate?
    . . . .

Vocabulary

la direction   *the management*
un brevet de sauvetage   *a life-saving certificate*

Section II

Track 27

Listen to the news report.

1. What did this woman think she had done?

    . . . .

2. What did she do for three weeks afterwards?

    . . . .

3. What explanation did she give to cover up her mistake?

    . . . .

Vocabulary

avoisinant   *approximating / almost*   dérober   *to hide from*

Section III

Track 28

Listen to this radio show about Sam Smith's best songs.

1. (i) What is the basic theme of the song Stay With Me?

    . . . .

    (ii) How long did it take him to write it?

    . . . .

    (iii) How well did the song do in the charts?

    . . . .

2. (i) How well did I'm Not the Only One do in the UK charts?

    . . . .

    (ii) What is the Billboard Hot 100?

    . . . .

3. (i) What inspired the song Too Good At Goodbyes?

    . . . .

    (ii) What feeling does Sam describe in this song?

    . . . .

Section IV
 Track 29

Listen to two young people giving their views on fashion.

1. (i) What kind of clothes does Georges prefer not to wear?

    ....

    (ii) What does he find ridiculous?

    ....

2. (i) According to Martine, what is so false about fashion?

    ....

    (ii) What disgusts her about designer clothes?

    ....

Now listen to the news report on identity theft.
 Track 30

3. (i) What is the penalty for committing the crime of identity theft?

    ....

    (ii) Apart from your name and address, what other detail do the criminals want?
    (Name **one**)

    ....

    (iii) From the moment when the crime is committed, how long does a person have
    to make a formal complaint?

    ....

Vocabulary

l'infraction *the offence*	le détournement de prestations
un délit *a crime*	sociales *the hijacking / diversion of*
porter plainte à *to bring a complaint to*	*welfare benefits*

Section V
 Track 31

Listen to the report on the use of aspirin.

1. (i) According to a study, what is the benefit of taking aspirin daily?

    ....

    (ii) Among how many people was this study conducted?

    ....

Now listen to the report on operations in hospitals.
Track 32

2. (i) What was the conclusion of the Canadian study concerning hospital
    operations?

    ....

(ii) According to a French study, why should heart operations take place in the afternoons?

....

Sample listening comprehension 3

Transcripts and solutions are on pp. 184–186 and 191.

Section I   Track 33

You will hear a young woman talking about her experience of dating apps.

1. What did this young woman discover about her boyfriend?
....

2. How did she take revenge on him?
....

3. How does 'he' describe himself? (**Two** details)
....
....

Section II   Track 34

Listen to the four news stories.

1. (i) How many people died in the Mexican earthquake?
....
(ii) How many homes were destroyed?
....

2. (i) Where **exactly** in London was the fatberg found?
....
(ii) What was its weight in tonnes?
....

3. (i) To what has the British government given the green light?
....
(ii) How does UNESCO regard Stonehenge?
....

4. How much money was paid for Leonardo da Vinci's painting?
....

Vocabulary

un séisme *earthquake*	des couche-culottes *nappies*
des lingettes hygiéniques *baby wipes*	(Il est) censé de *(it's) supposed to*

Section III      *Track 35*

Listen to three students talking about school.

1. According to Thomas, what would happen to students if they continually misbehaved?

    ....

2. (i) Give **two** reasons why Marie doesn't blame her teachers for always giving out to her.

        ....

        ....

    (ii) What warning did her parents give her?

        ....

3. (i) What happened to Lucie when she was 14 years old?

        ....

    (ii) What did she think of school? (**One** detail)

        ....

    (iii) What position did she play in hockey?

        ....

    (iv) Why did she not enjoy it? (**One** detail)

        ....

Vocabulary

gronder   *to give out to / to scold*
je ne serai pas reçue au bac   *I won't get a good Leaving Certificate*
j'ai grandi   *I grew up*

Section IV      *Track 36*

The singer **Amir** discusses his second album, *Addictions*.

1. (i) What is Amir addicted to?

        ....

    (ii) Name **two** things that he wants to do when he wakes up in the morning.

        ....

        ....

2. (i) What mishap occurred during one of his concerts?

        ....

    (ii) How did his fans react?

        ....

3. (i) What does he do with the presents that he receives from his fans?

....

(ii) Where does his mother keep the magazines with his photo in them?

....

Section V   ⊙ *Track 37*

Listen to the news report about Bastia Football Club.

1. What sentence did the court impose on the former president of Bastia FC?

....

2. What kind of company is Dulac?

....

Now listen to the news report about an act of aggression.   ⊙ *Track 38*

3. (i) What did the 26-year-old man do?

....

(ii) How did the witnesses react?

....

(iii) Name **one** thing that they did to the man.

....

Sample listening comprehension 4

Transcripts and solutions are on pp. 186–188 and 192.

Section I   ⊙ *Track 39*

Listen to two young people talking about sport.

1. (i) Why does Patricia not go skiing with her boyfriend?

....

(ii) Why does she enjoy acting?

....

2. (i) What reason does Luc give for doing so many sports at school?

....

(ii) Name **one** advantage for Luc of taking part in sport.

....

Vocabulary

ressentir	*to feel*

Section II

 *Track 40*

Listen to two young people talking about fashion.

1. (i) Give **two** reasons why David doesn't like fashion.

    ....

    ....

    (ii) Apart from a sweatshirt and jeans, what does he put on after school?
    (**Two** items)

    ....

    ....

2. (i) Why does Jeanne like to wear fashionable clothes? (**One** detail)

    ....

    (ii) What can she not resist when shopping?

    ....

    (iii) What clothes does she never buy?

    ....

Section III

Track 41

French singer Louane discusses her next projects.

1. (i) Why has Louane started taking dance classes?

    ....

    (ii) Why does she not want to appear on *Dancing with the Stars*?

    ....

2. Why does she sing almost entirely in French? (Give **two** reasons)

    ....

    ....

3. How does she feel about an international career?

    ....

Section IV

Track 42

Listen to three people talking about their shopping habits.

1. (i) Give **two** reasons why Yves hates shopping.

    ....

    ....

    (ii) What takes him 20 minutes to do?

    ....

2. (i) Why does Caroline like to meet her friends on Thursdays?

    . . . .

    (ii) What reason does she give for liking department stores?

    . . . .

3. (i) Why does Martin prefer to shop at the market? (**One** detail)

    . . . .

    (ii) Name **two** items that he buys in the pharmacy.

    . . . .

    . . . .

Section V   ◉ *Track 43*

Listen to the report on rat poison.

1. What does the figure 56% refer to?

    . . . .

Now listen to the report on Uluru, also known as Ayers Rock.   ◉ *Track 44*

2. (i) Why is the 26th of October 2019 a significant date for Australian Aboriginals?

    . . . .

    (ii) How high is Uluru?

    . . . .

    (iii) What did the Australian government do in 1985?

    . . . .

Vocabulary

des décennies de revendications	*decades of demands / claims*

3 Reading Comprehension (Compréhension écrite)

- To understand what you are being asked to do for the Reading Comprehension section of the exam.
- To show you how to answer in the required way.
- To give you practice in dealing with a variety of texts in French.

One comprehension is likely to be a **journalistic** passage, with perhaps more modern language.

The **other comprehension** is usually a **literary** piece, taken from a novel. It is likely to contain the 'passé simple', conversations and subjunctives. There is often some descriptive material.

Percentage = 30%
Marks = 120 (2 × 60)
Time = 1 hour (2 × 30 minutes)

IMPROVE YOUR MARKS

1 If you have time, **underline** the various question words: e.g. que, qu'est-ce que, quand, depuis combien de temps, pourquoi? *(what, what, when, since when, why?)*

Certain **phrases** are very common:
Relevez dans la première section ...   *Find in the first section ...*
Trouvez dans la deuxième section ...   *Find in the second section ...*
Citez dans la troisième section ...   *Quote from the third section ...*
Selon / d'après la quatrième section ...   *According to the fourth section ...*
la raison pour laquelle ...   *the reason why ...*
l'expression qui montre que ...   *the expression that shows that ...*
la phrase qui signifie ...   *the sentence that means ...*
le mot qui veut dire ...   *the word that means ...*

2 In the above cases, you are only asked to write down the **relevant** material directly from the text – but **accurately**! Do **not** write a whole sentence or paragraph just because it contains the information that you want.

For example, if you are asked to find the **number** of people that a business employs in this sentence:

Aujourd'hui, il emploie vingt-cinq personnes et réalise vingt millions de chiffre d'affaires par an.

only give the **precise** answer: Il emploie vingt-cinq personnes.

Phrases like 'Trouvez une phrase, des mots ou des expressions qui montrent que ...' are common.
'Une phrase' is a sentence, and that is what you are required to find.
'Mots / expressions' are words and expressions; you do not need to write a sentence.

3 Don't repeat the **question construction** in your answer:
Pourquoi Antoine voulait-il voir Daniel ... ?
Antoine voulait-il voir Daniel parce qu'il ... (Wrong!)
Instead, the **correct** way is: Antoine **voulait** voir Daniel parce qu'il ...

4 Another type of question concerns finding examples of **grammar points**, for example:
Trouvez un exemple d'un verbe au passé composé.

5 You may be required to **alter** the 'person' of the verb. For example, you may have to change 'j'ai balayé le plancher et j'ai rangé la cuisine' to '**il a balayé** ... et **il a rangé** ...'
The task is likely to be a simple one, nothing too complex.

6 The last question is expressed and answered in **English**. You are examined on details concerning the author's **style**, **character** descriptions or **events** in the text.

7 Beware of losing marks from basic errors like '**parce que il est**'.

8 Don't worry about the 50 words requirement in Question 6. It doesn't matter if you go over the limit – the examiner doesn't actually count the words. However, a very short answer may reveal a lack of understanding of the text.

The best preparation for these comprehension questions is **practice** and plenty of reading, i.e. short novels or short stories.
Note the vocabulary in the sample passages, as this may be useful for the oral or written exam.

Sample journalistic comprehension questions

Solutions can be found on pp. 193–197.

Journalistic comprehension 1

LA CATALOGNE

QUE VEULENT LES JEUNES CATALANS ?

1. « Llibertat ! Llibertat ! » scandent des milliers de jeunes sur la place de l'Université, en plein centre de Barcelone. Ils réclament en catalan la libération de huit anciens ministres catalans, placés en détention provisoire pour avoir déclaré l'indépendance de la 27 octobre dernier. Une indépendance symbolique puisque l'Espagne a immédiatement repris le contrôle de toutes les institutions régionales. Longs cheveux blonds, bracelet aux couleurs du drapeau catalan, Anna, 19 ans, a participé à toutes les manifestations organisées par les séparatistes. « L'Espagne ne nous respecte pas, estime-t-elle, elle ne respecte pas notre culture, notre différence ». Dans un bruyant café à deux pas des arènes de Barcelone, ou se sont déroulées des corridas durant des décennies, elle argumente : « La Catalogne a interdit la corrida il y a plusieurs années, car nous trouvons cela barbare, ce n'est pas dans notre manière de vivre, et il y a d'autres choses que nous aimerions faire différemment, comme avoir plus de lois pour protéger les plus pauvres, ou favoriser l'égalité entre les hommes et les femmes, mais ce n'est pas possible tant que nous restons en Espagne. »

2. Pour son ami Pau, le problème est le refus systématique de dialogue de Madrid. Il a 18 ans, et est plus réservé. « Ces dernières années, la Catalogne a essayé de négocier un nouveau statut d'autonomie, un nouveau régime fiscal, de nouvelles conditions au sein de l'Espagne, mais à chaque fois le gouvernement espagnol a dit non, non et non. » Depuis la fin de la dictature franquiste (1939–1975) et le rétablissement de la démocratie à la fin des années 1970, la Catalogne jouit d'une autonomie très forte, qu'elle a négociée à l'époque avec le gouvernement espagnol. Elle peut gérer sa propre police, les *Mossos d'Esquadra*, son système de santé et son système éducatif. Jusqu'au bac et parfois à l'université, les cours sont donnés en catalan. Les jeunes d'aujourd'hui ont donc suivi toute leur scolarité en catalan. Et possèdent un fort sentiment d'appartenance à la nation catalane. Selon un récent sondage, 60 % des moins de 30 ans sont en faveur de l'indépendance, par rapport à 45 % des Catalans en général.

3. Marc, 19 ans et allure décontractée, ne partage pas ce sentiment indépendantiste. Il a fallu convaincre cet ami d'enfance d'Anna et Pau de les rejoindre dans ce café pour participer à l'interview. « Beaucoup de jeunes pensent qu'une Catalogne indépendante leur assurera un meilleur avenir, qu'il y aura plus de travail par exemple car l'Espagne prend de mauvaises décisions économiques, mais je trouve que ce n'est pas réaliste. » La région, qui est l'une des plus riches d'Espagne, estime qu'elle paie trop d'impôts à l'État et réclame une meilleure autonomie fiscale. Face au refus de Madrid, beaucoup pensent que l'indépendance est devenue la seule issue. « Ce n'est pas que nous ne voulons pas être solidaires avec les autres régions, se défend Anna, mais nous voulons gérer nous-mêmes notre argent, et prendre en main notre propre avenir en tant que l'État catalan, d'égal à égal avec les autres pays ».

1. **(i)** Selon la première section, pourquoi est-ce que les jeunes se manifestent ?

    . . . .

    (ii) Pourquoi est-ce qu'Anna critique l'Espagne ?

    . . . .

2. Dans la première section, pourquoi est-ce que La Catalonie a aboli la *corrida*
    (*bull fighting*) ?

    . . . .

3. Mentionnez deux choses (première section) que les Catalans feraient différemment
    s'ils avaient l'indépendance.

    . . . .

    . . . .

4. Selon la deuxième section, depuis les années soixante-dix, les Catalans jouissent
    d'une certaine indépendance. Donnez deux exemples.

    . . . .

    . . . .

5. **(i)** Trouvez un exemple d'adjectif singulier au féminin dans la deuxième section.

    . . . .

    (ii) Selon la troisième section, citez deux choses pour lesquelles Marc n'est pas
    optimiste.

    . . . .

    . . . .

6. Do you think that Catalonia would be any different if it achieved independence?
    Give two reasons from the text. (**50 words**)

    . . . .

    . . . .

    . . . .

    . . . .

Journalistic comprehension 2

10 idées modernes pour étudier heureux

ÉTUDIEZ, Y A QUE ÇA DE VRAI !

1 *Les chiffres sont sans appel : plus vous poursuivez vos études, moins vous avez de risques d'être confronté au chômage. Étudier, c'est aussi avoir accès au savoir. Deux bonnes raisons au moins de se cramponner ferme aujourd'hui.*

Par Emmanuel Davidenkoff

Rien ne va plus. L'université serait incapable de préparer ses étudiants à trouver un emploi ; les diplômes type BTS-DUT ne vaudraient plus rien ; les diplômés des grandes écoles seraient au chômage. Vous n'y croyez pas ? Vous avez bien raison ! Mais il est des vérités bonnes à rappeler. Même François Bayrou, le ministre de l'Éducation nationale, a semblé le (re)découvrir en juin dernier. Son discours de clôture des États généraux de l'université – vaste consultation de tous les membres de la communauté universitaire – s'ouvrait par trois refus :

1. Non à la « fermeture » de l'université (comprendre la sélection).

2. Non à trop d'autonomie pour les universités – pas question qu'elles fixent librement leurs droits d'inscription ni qu'elles développent une concurrence ouverte.

3. Non, enfin, à la « secondarisation » du supérieur, c'est-à-dire à une baisse des exigences.

Après, il y a l'intendance : les amphis trop petits, le manque de place en bibliothèque universitaire, la maigreur des bourses, les erreurs d'aiguillage qui expliquent pour partie le taux d'échec important des étudiants en premier cycle … De tout cela, le ministre a promis de s'occuper. Sans toucher aux grands principes. Et il n'a pas forcément tort.

2 Les principes de l'université

Que permettent ces grands principes ? En premier lieu, de préserver un semblant d'égalité des chances. D'accord, le fils de patron a toujours plus de chances d'entrer à Polytechnique que le fils d'ouvrier. Et l'échec scolaire, malheureusement, se joue bien avant le bac. Il n'empêche : le niveau général s'est élevé en trente ans, et ce phénomène est à porter au crédit de l'école. 30 % d'une classe d'âge décrochait le bac il y a dix ans. Le chiffre est aujourd'hui de 65 % ! Comme les exigences de la société ont, elles aussi, évolué – le travail purement manuel, qui était la règle il y a quelques décennies, est devenu l'exception ; imaginez ce qui se serait produit si, au lieu d'ouvrir les portes des lycées et des facs au plus grand nombre, on avait décidé de pratiquer une politique sélective ?

Le fossé que l'on constate entre ceux qui ont accès au savoir et ceux qui n'y ont pas accès serait encore plus large.

3 Moins de chômeurs chez les diplômés

Il suffit d'ailleurs d'observer les chiffres pour se convaincre que les études restent le meilleur remède contre le chômage : l'équation « plus votre diplôme est élevé, moins vous risquez de vous retrouver au chômage » fonctionne toujours. En clair, si vous êtes à bac+2 et au-delà, ne sursautez plus en entendant parler du chômage des jeunes. Ce n'est pas de vous qu'il s'agit. Vos problèmes seront d'un autre ordre : vous mettrez un peu plus longtemps que vos aînés à trouver un emploi, il sera peut-être un peu moins bien rémunéré et, surtout, vous risquez de passer par une phase de précarité plus longue.

Vocabulary

vaudraient	*would be worth*	forcément	*inevitably*
l'inscription	*enrolment*	le taux d'échec	*the failure rate*
les exigences	*requirements / demands*	le fossé	*the gap*

1. Dans la première section, citez **deux** raisons pour lesquelles on doit bien étudier.
   . . . .
   . . . .

2. Selon la première section, quels sont les problèmes que le ministre de l'Éducation nationale doit résoudre (mentionnez-en **deux**).
   . . . .
   . . . .

3. (i) Comment savons-nous que le niveau de l'éducation dans les écoles secondaires s'est amélioré ? (**Section 2**)
   . . . .
   (ii) Trouvez des synomymes pour:
   (a) des universités
   . . . .
   (b) bien payé
   . . . .

4. Dans la troisième section, relevez la phrase qui montre que, de nos jours, il est plus difficile de trouver un poste que jadis.
   . . . .

5. Relevez dans le texte un exemple de :
   (i) verbe au passif (**Section 1**)
   . . . .
   (ii) verbe pronominal (**Section 1**)
   . . . .

6. Is third-level education the best option for French school leavers? (**Two points**)
   . . . .
   . . . .
   . . . .
   . . . .

Journalistic comprehension 3

LE BITCOIN, C'EST QUOI CETTE MONNAIE ?

Vous avez peut-être croisé le nom de cette crypto-monnaie dans vos jeux-vidéo ou lors d'une conversation ... mais c'est quoi et qu'est-ce qui change par rapport à la monnaie « normale » ?

1. Comment on crée de l'argent ?

Pour créer des devises comme l'euro et le dollar, les banquiers entrent un montant dans l'ordinateur et pouf, la valeur est mise en circulation : virtuellement sur un compte, puis physiquement sous forme de billets ou pièces. Les banques doivent respecter les directives d'une « super » banque centrale et ne peuvent pas faire n'importe quoi. Mais il n'y a pas vraiment de limites à la création de monnaie.

Les bitcoins sont uniquement virtuels. Ils ont été inventés en 2009 par un geek qui a voulu rester anonyme. Pour éviter la spéculation financière qui a mené à une grave crise économique en 2008, leur nombre est strictement limité : il n'y en aura jamais plus de 21 millions en circulation.

Des « mineurs », sortes de super-informaticiens qui font des calculs compliqués sur des puissants ordinateurs, vérifient que tout se passe bien dans le réseau (ni bugs, ni fraudes).

Le système informatique crée régulièrement de nouveaux bitcoins pour les rémunérer.

2. Qui gère l'argent ?

Avec des euros, il faut ouvrir un compte bancaire pour mettre ses économies en lieu sur et avoir une carte pour retirer de l'argent et effectuer des achats. C'est payant et ensuite, c'est la banque qui gère l'argent. Elle le rend disponible quand le client en demande mais s'en sert sinon pour accorder des prêts à d'autres clients, pour réaliser des placements sur les marchés financiers pour le faire fructifier, etc. Certains estiment que les banques ne donnent pas assez d'informations sur cette gestion.

Avec le bitcoin, le système est autonome. Les utilisateurs reprennent la main sur leur argent en plaçant leur confiance dans l'algorithme et les autres utilisateurs (on considère qu'il y a 3 millions d'utilisateurs de bitcoins dans le monde). Ils ouvrent eux-mêmes en ligne et gratuitement un « portefeuille bitcoin » (matérialisé par un fichier sécurisé qui s'installe

sur leur ordinateur). Ils n'ont ni chéquier ni carte bleue, mais un code personnel. Avant de pouvoir effectuer un achat, ils doivent échanger leurs euros contre des bitcoins : des plateformes sur Internet leur permettent de trouver les possesseurs de bitcoins intéressés.

3. Les achats sont-ils sécurisés ?

Avec des euros, lors d'une commande sur Internet, l'acheteur est automatiquement redirigé vers une page sécurisée (elle est indiquée « https » sur la barre de recherche). Une fois les codes de carte bleue saisis par l'acheteur, l'argent disparait de son compte en banque pour aller sur celui du commerçant. Ce transfert est validé deux fois : par la banque de l'acheteur et par celle du receveur.

Avec le bitcoin, le commerçant doit donner son code pour recevoir l'argent d'un achat. L'acheteur saisit ce code dans son portefeuille virtuel et signe un message transmis à tout le réseau pour dire « j'accepte ». Cette transaction, comme toutes les autres, va être enregistrée sous une forme cryptée sur les ordinateurs de bitcoin. Plusieurs milliers de « mineurs » vont alors la vérifier : impossible de tricher !

1. **(i)** Dans la première section, trouvez deux phrases qui montrent que les banques n'ont pas la permission de faire ce qu'ils veulent.

   . . . .

   . . . .

   (ii) Relevez une phrase qui indique que cette nouvelle monnaie ne consiste ni de billets ni de pièces.

   . . . .

2. **(i)** Selon la première section, comment est-ce qu'on peut éviter une spéculation financière avec le bitcoin?

   . . . .

   (ii) Dans la deuxième section, citez une phrase qui indique qu'un compte bancaire n'est pas gratuit.

   . . . .

3. **(i)** Mentionnez un problème en ce qui concerne les banques. (**Section 2**)

   . . . .

   (ii) Selon la deuxième section (*cochez la bonne case*) :
   - **(a)** les utilisateurs du bitcoin n'aiment pas l'algorithme ❐
   - **(b)** le système du bitcoin se ressemble à une auto ❐
   - **(c)** il y a trois millions de bitcoins dans le monde ❐
   - **(d)** quand on veut acheter quelque chose, il faut donner des euros en échange. ❐

4. **(i)** Trouvez un exemple d'un adverbe dans la troisième section.

   . . . .

   (ii) Relevez l'expression qui veut dire « au même moment qu'on veut acheter quelque chose en ligne ». (**Section 3**)

   . . . .

5. Relevez les mots qui montrent que ce système d'échange du bitcoin est totalement sans danger. (**Section 3**)

   . . . .

6. Why do supporters of bitcoin believe that it is a safe system? Discuss with reference to the text. (**Two points, 50 words**)

   . . . .

   . . . .

   . . . .

   . . . .

Journalistic comprehension 4

LA MONDIALISATION

Pour l'économiste Michel Aglietta, la globalisation crée des richesses, mais aussi des inégalités. À chaque État de les combattre. Sinon, il y aura de graves crises, et un retour au chacun chez soi.

Propos recueillis par Corinne Lhaïk

« LA MONDIALISATION NE PROFITE PAS QU'AUX AUTRES »

1. L'EXPRESS : La mondialisation, c'est un mot à la mode pour désigner ce qui nous fait peur ?
MICHEL AGLIETTA : Non, c'est un vrai phénomène qui a commencé, il y a cinquante ans, avec le développement du commerce international. Ensuite, il a atteint les entreprises. Aujourd'hui, ce sont les usines qui se déplacent, et plus seulement les marchandises. Les précurseurs de ce mouvement ont été les multinationales américaines, dans les années 60. Le choc pétrolier des années 70 a amplifié cette internationalisation. À ce moment-là, la croissance des pays occidentaux s'est ralentie et les entreprises sont allées chercher des marchés ailleurs. Ensuite, elles se sont efforcées de produire à meilleur coût. Et ces déplacements sont à l'origine de la mondialisation des capitaux. Pour financer leur développement à l'étranger, les entreprises ont cherché et trouvé de l'argent un peu partout dans le monde. Aujourd'hui, cette quête de la rentabilité concerne non seulement quelques grands groupes, mais aussi des entreprises moyennes. Il existe 40 000 entreprises multinationales, contre quelques centaines il y a vingt ans.

2. Vous pensez à Daewoo ?
Bien sûr. L'acquisition envisagée de Thomson multimédia traduit quelque chose de passionnant, l'apparition de multinationales du Sud. Jusqu'à présent, le mouvement se faisait en sens unique : les firmes occidentales investissaient dans les pays en développement. Désormais, des entreprises de ces pays amènent chez nous leurs capitaux, leur manière de produire et des emplois. La notion même de multinationale se banalise. La concurrence se fait dans un espace qui n'a pas de limites. Et, chaque fois qu'un nouveau capitalisme apparaîtra, il sécrétera ses propres multinationales. Ce qui se fait en Asie va se poursuivre. L'Amérique latine est en train de décoller. Le Brésil va devenir une très grande puissance et, dans vingt ou trente ans, vous verrez de grosses entreprises brésiliennes partir à la conquête du monde.

3. On a franchement l'impression que les travailleurs des pays développés sont les grands perdants de la mondialisation ...
Eh bien, on se trompe ! Cette impression dont vous parlez serait justifiée si les pays émergents nous inondaient de leurs produits et ne nous achetaient rien. Or ce n'est pas le cas : ces pays importent autant qu'ils exportent, car ils sont en forte croissance. Globalement, tout le monde y gagne, car le commerce international n'est pas un jeu à somme nulle (les gains des uns équivalent aux pertes des autres), mais un jeu à somme positive : il est créateur de richesses supplémentaires pour tous les pays qui le pratiquent.

4. Le rôle de l'État est donc déterminant ?
Essentiel. Contrairement aux idées reçues, l'État est loin de dépérir. Il conserve les pouvoirs fiscal et budgétaire. Il conserve le pouvoir monétaire, à l'exception des pays européens, qui veulent faire une union monétaire. Mais cet abandon de souveraineté doit donner plus de puissance à ces pays pour gérer le processus de mondialisation.

Vocabulary

se déplacent	*(they) move*	décoller	*to take off*
la croissance	*growth*	autant que	*as much as*
occidentaux	*western (pl)*	dépérir	*to decline / fade away*
la concurrence	*competition*	gérer	*to manage*

1. (i) Relevez dans la première section les mots ou expressions qui se réfèrent à la mondialisation.

   ....

   (ii) Quel évènement a accéléré cette globalisation ?

   ....

2. (i) Citez dans la deuxième section la phrase qui indique que les pays riches amenaient leur argent dans les pays pauvres.

   ....

   (ii) Selon la troisième section, les pays en voie de développement *(cochez la bonne case)* :
   (a) vendent plus de produits à l'étranger qu'ils n'en importent ☐
   (b) ont plus d'importations que d'exportations ☐
   (c) ne vendent rien outre-mer mais importent beaucoup ☐
   (d) importent autant de produits qu'ils en exportent. ☐

3. Trouvez dans la troisième section la phrase qui veut dire qu'aucun pays n'est perdant dans le phénomène de globalisation.
   ....

4. (i) Relevez dans la quatrième section une phrase qui montre que le gouvernement garde le contrôle de l'argent dans l'économie.

   ....

   (ii) Trouvez dans la première section les mots ou expressions qui veulent dire :
   (a) les biens ....
   (b) le profit. ....

5. (i) Pour ce mot souligné « elles », trouvez le mot auquel il se réfère.

   ....

   (ii) Relevez dans la deuxième section un exemple d'un verbe pronominal au présent.

   ....

6. According to the author, in what way does globalisation benefit the world's economies? (**50 words**)
   ....
   ....
   ....

Journalistic comprehension 5

Bertrand Piccard en voiture électrique : le courant passe !
C'était une hypothèse, cela devient un phénomène. Bertrand Piccard a testé ce qui va changer la planète.

1. Vous avez atterri, il y a bientôt deux ans, de votre incroyable odyssée à bord de « Solar Impulse ». Cette expérience a-t-elle changé votre approche du transport aérien ?
Oui, je l'avoue. Depuis mon tour du monde en avion solaire, j'ai du mal à voler dans un avion normal. Je trouve ça trop bruyant, trop polluant, et tellement mois plaisant à piloter ! En voiture, c'est pareil ...

Il ne m'a pas fallu longtemps pour comprendre qu'une voiture électrique, ce n'est pas simplement plus vertueux. C'est plus silencieux, plus vif à l'accélération, plus agréable à conduire et, surtout, beaucoup plus efficace. Le rendement énergétique d'un moteur à combustion est d'environ 27 %. Dans le cas d'un moteur électrique, le rendement peut monter jusqu'à 97 %. Il consomme près de quatre fois moins d'énergie. Rouler électrique, c'est être logique avant d'être écologique ...

2. Si les politiques paraissent souvent manquer d'esprit d'invention, vous portez aussi un regard sévère sur les constructeurs automobiles.
Je leur reproche de manquer d'ambition dans leurs objectifs environnementaux et de défendre d'abord des normes d'homologation laxistes, au risque de dégrader la santé publique. La pollution de l'air cause la mort de 6 millions de personnes chaque année. On ne peut pas rester les bras croisés face à une telle catastrophe humanitaire. Or, à quelques exceptions près, les grandes marques donnent l'impression d'aller vers l'électrique contre leur gré. On ne les sent pas enthousiastes. Les Asiatiques, dont les villes sont souvent plus polluées que les nôtres, font d'avantage d'efforts. La Chine, notamment, est sur le point d'abandonner la production de voitures roulant à l'énergie fossile.

3. Vous demeurez cependant optimiste ...
Absolument, car le phénomène est irréversible. L'automobile électrique est le porte-drapeau de la transition énergétique. Et je prédis une révolution aussi spectaculaire à la fin du XXIe siècle. La voiture « zéro émission » en témoigne : sa conduite peut être propre, efficiente, rapide et plaisante à la fois. Jusqu'à l'émergence de Tesla, la voiture électrique était anecdotique. Il est étonnant de constater que la solution est arrivée par un homme, Elon Musk, qui n'appartenait pas au monde de l'automobile.

4. Que répondez-vous à ceux qui s'inquiètent du recyclage des batteries ?
À la fin de sa carrière automobile, la batterie d'une voiture électrique a perdu seulement 20 % de sa capacité. Elle n'a donc pas lieu d'être recyclée. Il faut lui donner une seconde vie en l'installant dans la cave d'une maison, par exemple, pour stocker de l'énergie et rendre l'habitation autonome sur le plan énergétique. Dans la petite ville ou je réside, près de Lausanne, 100 % de l'énergie fournie aux habitants est renouvelable. Quand je me déplace, non seulement je n'émets pas de CO_2, mais l'énergie que je consomme est verte également. Je recharge ma voiture chez moi. Le « plein » me revient à 4 euros et me permet de rouler 200 kilomètres, c'est imbattable !

1. (i) Relevez de la première section une expression qui montre que Bertrand a fait un voyage remarquable par avion sans moteur à réaction.

    . . . .

    (ii) Trouvez deux raisons pour lesquelles Bertrand n'aiment pas prendre un avion classique. (**Section 1**)

    . . . .

    . . . .

2. (i) Selon Bertrand, quels sont deux avantages de la voiture électrique. (**Section 1**)

    . . . .

    . . . .

    (ii) Trouvez un reproche que Bertrand fait aux constructeurs automobiles. (**Section 2**)

    . . . .

3. Relevez l'expression qui veut dire que « nous devons faire quelque chose ». (**Section 2**)

    . . . .

4. Selon la troisième section (*cochez la bonne case*) :
    (a) avant la Tesla, personne ne prenait pas au sérieux la voiture électrique ❑
    (b) Elon Musk partait en vacances en automobile ❑
    (c) Elon Musk est un constructeur automobile ❑
    (d) la révolution de la voiture électrique sera plus spectaculaire que l'arrivée du pétrole au dix-neuvième siècle. ❑

5. (i) Trouvez un exemple d'un verbe à l'imparfait. (**Section 3**)

    . . . .

    (ii) Citez pourquoi Bertrand pense que son auto électrique est plus efficace qu'un moteur à combustion. (**Section 4**)

    . . . .

6. Do you think that electric cars are a good idea? Give two reasons with reference to the text. (**50 words**)

    . . . .

    . . . .

    . . . .

    . . . .

Journalistic comprehension 6

La violence dans les jeux vidéo rend-elle agressif ?

Les jeux vidéo offrent souvent des contenus violents. Les joueurs étant acteurs et pas seulement spectateurs, les jeux vidéo ont été accusés, depuis leur essor dans les années 1990, d'être la cause de la violence perpétrée hors du jeu.

Les arguments pour

1. Un mauvais exemple : désensibilisation à la violence

La violence dans les jeux vidéo est de plus en plus banalisée. Le premier jeu à faire polémique date à l'époque des pixels en 1976 : Death Race. Le joueur conduisait une voiture avec laquelle il devait renverser des Gremlins qui se transformaient ensuite en pierres tombales.

Trente ans plus tard, les évolutions techniques ont permis de rendre cette immersion plus prononcée. Le joueur incarne le personnage, il porte l'arme comme s'il l'actionnait lui-même. Il évolue dans un milieu en trois dimensions.

2. Les jeux vidéo sont addictifs et détachent de la réalité

Le débat sur la violence des images existe depuis longtemps. Mais il y a une différence entre le fait apprécier une image violente – œuvre d'art ou film – et le jeu vidéo. Devant un tableau ou un film le spectateur est passif, il observe. Dans un jeu, c'est lui qui contrôle les actions et les images. Il est donc l'auteur de cette violence. L'addiction aux jeux vidéo est aujourd'hui avérée et le manque génère la violence. L'Institut Fédératif. Cette addiction peut aussi être à l'origine de l'échec scolaire. Une étude menée par l'Américaine Douglas Gentile sur des adolescents de 8 à 18 ans montre que 8,5 % des jeunes présentent des symptômes d'addiction.

Les arguments contre

3. La stratégie de jeu prime sur la violence

Une étude menée par l'Institut Max Planck et la Charité University Medicine St Hedwig-Krankenhaus explique que les jeux vidéo apprennent au joueur à être actif. La matière grise des joueurs serait augmentée.

Seuls certains profils de joueurs basculent dans la violence.

En 2015, aux États-Unis, il y a eu en moyenne une attaque par semaine dans un lycée. Mais comme pour Colombine, c'est la vente d'armes qui avait été plus largement accusée. En France en 2015, 53 % des Français âgés de 10 à 65 ans sont des joueurs réguliers et leur âge moyen est de 35 ans. Tous ne basculent pas dans la violence.

4. Exprimer sa violence dans les jeux vidéo la réduit dans la vie

Une étude américaine prouve qu'aux États-Unis, les ventes de jeux vidéo ont plus que doublé depuis le milieu des années 1990, tandis que le nombre de jeunes délinquants violents a diminué de plus de la moitié sur cette période. Durant les périodes de fortes ventes de jeux vidéo, les crimes seraient en baisse dans les villes universitaires. Mais les chercheurs offrent une autre interprétation possible : les jeunes seraient simplement trop occupés à jouer pour commettre des crimes.

1. (i) Selon la première section, comment savons-nous que les jeux vidéo ne datent pas du vingt-et-unième siècle ?

   . . . .

   (ii) Mentionnez un changement qui a eu lieu il y a trente ans. (**Section 1**)

   . . . .

2. (i) Du point de vue du spectateur, quelles sont les différences entre un film et un jeu vidéo ? (**Section 2**)

   . . . .

   (ii) Relevez les mots dans la deuxième section qui montrent une conséquence d'être accro aux jeux vidéo.

   . . . .

3. (i) Relevez la phrase dans la troisième section qui indique que les jeux stimulent l'intelligence.

   . . . .

   (ii) Trouvez dans la troisième section un exemple d'un verbe au conditionnel.

   . . . .

4. (i) Quelle phrase dans la troisième section nous indique qu'en France, les joueurs ne sont pas violents.

   . . . .

   (ii) Trouvez dans la quatrieme section un mot qui veut dire « cinquante pour cent ».

   . . . .

5. Citez la phrase qui montre qu'en certaines villes, pendant que les jeux vidéo se vendent beaucoup, la criminalité se diminue. (**Section 4**)

   . . . .

6. Does this article provide a good case that video games are harmful? Give two reasons, with reference to the text. (**50 words**)

   . . . .
   . . . .
   . . . .
   . . . .

Journalistic comprehension 7

Cyberharcèlement

Le tourment du harcèlement a pris le virage numérique pour relayer les attaques psychologiques

1. **S'il touche aussi les adultes, le cyberharcèlement est particulièrement en vogue chez les mineurs entre eux, participant à l'ensemble des violences dans le cadre du milieu scolaire.**

   D'incessantes agressions morales ont lieu via Internet ou les smartphones, de l'exploitation des failles du droit à l'oubli, à l'usurpation de l'identité numérique d'une autre personne, en passant par le revenge porn après les sextos, le stalking ou l'espionnage d'autrui inondé de messages ou encore la simple violence des propos déguisés en faux troll mais vrais haters dans les échanges sur Facebook, Twitter, YouTube ou tout autre réseau social.

2. **Identifier le cyberharcèlement**

   Le cyberharcèlement est défini comme « un acte agressif, intentionnel perpétré par un individu ou un groupe d'individus au moyen de formes de communication électroniques, de façon répétée à l'encontre d'une victime qui ne peut facilement se défendre seule ».

   Le cyberharcèlement se pratique via les téléphones portables, messageries instantanées, forums, chats, jeux en ligne, courriers électroniques, réseaux sociaux, sites de partage de photographies, etc.

   Préserver ses données privées

   Les enfants et les adolescents fournissent facilement ces éléments sur les profils des réseaux sociaux ou dans les discussions en ligne, alors qu'ils ne le font pas dans la vie « réelle ». Lors de l'inscription sur un site de jeu ou un réseau social, il est souvent demandé de fournir ses nom, prénom, date de naissance et adresse email pour la connexion. Une fois ces informations données, on peut choisir de ne pas toutes les afficher sur son profil (prendre un pseudo, masquer l'âge).

3. **Gérer ses paramètres de confidentialité**

   Les réseaux sociaux les plus populaires permettent aux utilisateurs de choisir qui a accès a leur profil / leurs informations.

   Pour les mineurs, il est conseillé de paramétrer un maximum d'éléments au niveau le plus restrictif.

   Facebook : paramétrer la visibilité de son compte à des «amis uniquement», refuser d'être indexé par d'autres sites web.

   Skype : limiter la visibilité de sa photo de profil à sa liste de contacts, et refuser les demandes de personnes qui ne sont pas dans cette liste.

   Twitter : protéger ses tweets (messages) afin qu'ils ne soient pas disponibles publiquement.

   Ask.fm : refuser de recevoir des questions anonymes.

4. **Sécuriser son mot de passe**

   Un mot de passe doit rester strictement privé et confidentiel. À la fin de chaque utilisation, il faut penser à se déconnecter de sa session, y compris sur les téléphones portables. Bien que le cyberharcèlement ne soit pas une infraction réprimée en tant que telle par la loi française, l'auteur d'actes accomplis à cette fin est susceptible de voir sa responsabilité engagée sur le fondement du Droit Civil, du Droit de la Presse ou du Code Pénal.

1. **(i)** Selon la première section, quel groupe de gens le cyberharcèlement touche-t-il le plus ?

   ....

   (ii) Nommez deux espèces de cyberharcèlement qui se passent sur Internet et smartphones. (**Section 1**)

   ....

   ....

2. **(i)** Trouvez dans la deuxième section les mots qui veulent dire qu'il est difficile pour la victime du cyberharcèlement de lutter contre une attaque.

   ....

   (ii) Selon cette section, pourquoi est-il facile de harceler quelqu'un ?

   ....

3. **(i)** Comment peut-on cacher ses détails personnels sur son profil ? Indiquez deux méthodes. (**Section 3**)

   ....

   ....

   (ii) Trouvez dans la deuxième section un exemple d'un adjectif au pluriel masculin.

   ....

4. Dans la quatrième section, comment est-ce qu'on peut être protégé sur Internet ?

   ....

5. Selon la quatrième section (*cochez la bonne case*) :
   (**a**) le cyberharcèlement n'est pas contraire à la loi française ☐
   (**b**) les coupables sont toujours réprimandés ☐
   (**c**) les jeunes ne donnent guère leurs identifiants Internet à des amis ☐
   (**d**) après l'utilisation, seulement les ordinateurs doivent être déconnectés. ☐

6. This article gives students ways of protecting themselves from online bullying. Give two examples from the text. (**50 words**)

   ....

   ....

   ....

   ....

Journalistic comprehension 8

Corée du Nord

La menace de la guerre

1. La skyline de la capitale nord-coréenne est hérissée de buildings de marbre et de verre, avec les galeries marchandes illuminées où les promeneurs circulent en pianotant sur leur smartphone. Mais l'état de guerre permanent fait bon ménage avec la modernité. Toutes les occasions sont bonnes pour le rappeler : sur les murs des écoles où des gigantesques fresques représentent des soldats américains sanguinaires, dans les manuels scolaires où un oncle Sam bedonnant s'apprête à dévorer un globe terrestre piqué sur une fourchette, dans les films présentés sur les cinq chaînes de télévision, dans les chansons dont les refrains sont autant de slogans.

2. Pak fait partie de cette jeune génération qui n'a pas connu les années difficiles de la « marche ardue » de la faim, au milieu des années 1990. « Aujourd'hui, raconte le jeune homme avec fierté, notre nation a changé et produit ce qu'elle consomme. » Quand hier encore toutes les marchandises étaient importées de Chine, la plupart sont aujourd'hui « Made in Korea » : yaourts liquides, cartables d'écoliers, doudounes, téléphones portables, panneaux solaires, bus, rames de métro ...

3. La Corée du Nord de 2017, avec ses boutiques bien approvisionnées, ses supermarchés et ses foules multicolores, n'a plus grand-chose à voir avec la Corée gris du début des années 2000. « Notre vie quotidienne s'est améliorée grâce à notre jeune dirigeant », explique une femme en tripotant machinalement sa broche aux allures de double C de Chanel.

Propagande destinée aux Occidentaux ? Non, car jamais l'économie ne s'est aussi bien portée. La Banque de Corée (BOK), à Séoul, estime que, malgré les sanctions, le PIB nord-coréen a progressé de 3,9 % en 2016.

4. Ce quotidien plus doux, plus facile, laissant davantage de place aux loisirs et aux hautes technologies (Internet demeure toutefois une sorte de simple Intranet), assure ainsi une étonnante popularité a Kim Jong-un. Popularité encore renforcée par les menaces de Donald Trump, qui cimentent un peu plus la population face aux « loups impérialistes ». « Vous avez vu comment ont fini Kadhafi et Saddam Hussein ? On ne peut pas faire confiance aux États-Unis », s'indique un haut diplomate basé en Europe.

1. (i) Décrivez la capitale nord-coréenne. Donnez deux détails. (**Section 1**)
   ....
   ....

   (ii) Comment savons-nous que les Nord-Coréens n'aiment pas les Américains ? (**Section 1**)
   ....

2. (i) Quelle est la différence entre la génération de Pak et celle des années 90 ? (**Section 2**)
   ....

   (ii) Citez une phrase dans la deuxième section qui veut dire que la Nord-Corée ne dépend plus d'autres pays.
   ....

3. Donnez deux exemples de produits fabriqués en Corée du Nord. (**Section 2**)
   ....
   ....

4. Selon la femme dans la troisième section, qui est responsable de cette amélioration économique ?
   ....

5. (i) Trouvez dans la quatrième section un exemple d'un participe présent.
   ....

   (ii) Selon la quatrième section, qu'est-ce qui a augmenté la popularité de Kim Jong-un ?
   ....

6. The daily lives of the North Koreans are not as grim as Westerners think. Do you agree? Give two reasons, with reference to the text. (**50 words**)
   ....
   ....
   ....
   ....

Sample literary comprehension questions

Solutions can be found on pp. 197–199.

Literary comprehension 1

LA PHOTO DU COLONEL – EUGÈNE IONESCO

1. Nous longeâmes quelque temps un parc de gazon, avec, en son centre, un bassin. Puis, de nouveau, les villas, les hôtels particuliers, les jardins, les fleurs. Nous parcourûmes ainsi près de deux kilomètres. Le calme était parfait, reposant : trop, peut-être. Cela en devenait inquiétant.

« Pourquoi ne voit-on personne dans les rues ? demandai-je. Nous sommes les seuls promeneurs. C'est, sans doute, l'heure du déjeuner, les habitants sont chez eux. Pourquoi, cependant, n'entend-on point les rires des repas, le tintement des cristaux ? Il n'y a pas un bruit. Toutes les fenêtres sont fermées ! »

2. Nous étions justement arrivés près de deux chantiers récemment abandonnés. Les bâtiments, à moitié élevés, étaient là, blancs au milieu de la verdure, attendant les constructeurs.

« C'est assez charmant ! remarquai-je. Si j'avais de l'argent – hélas, je gagne très peu, – j'achèterais un de ces emplacements ; en quelques jours, la maison serait édifiée, je n'habiterais plus avec les malheureux, dans ce faubourg sale, ces sombres rues d'hiver ou de boue ou de poussière, ces rues d'usines. Ici, ça sent si bon », dis-je, en aspirant un air doux et fort qui soûlait les poumons.

3. « La police a suspendu les constructions. Mesure inutile, car plus personne n'achète des lotissements. Les habitants du quartier voudraient même le quitter. Ils n'ont pas où loger autre part. Sans cela, <u>ils</u> auraient tous plié bagage. Peut-être aussi se font-ils un point d'honneur de ne pas fuir. Ils préfèrent rester, cachés, dans leurs beaux appartements. Ils n'<u>en</u> sortent qu'en cas d'extrême nécessité, par groupes de dix ou quinze. Et même alors, le risque n'est pas écarté.

– Vous plaisantez ! Pourquoi prenez-vous cet air sérieux, vous assombrissez le paysage ; vous voulez me donner la frousse ?

– Je ne plaisante pas, je vous assure. »

4. Je sentis un coup au cœur. La nuit intérieure m'envahit. Le paysage resplendissant, dans lequel je m'étais enraciné, qui avait, tout de suite, fait partie de moi-même ou dont j'avais fait partie, se détacha, me devint tout à fait extérieur, ne fut plus qu'un tableau dans un cadre, un objet inanimé. Je me sentis seul hors de tout, dans une clarté morte.

« Expliquez-vous ! implorai-je. Moi qui espérais passer une bonne journée ! … J'étais si heureux, il y a quelques instants ! »

Nous retournions, précisément, au bassin.

« C'est là, me dit l'architecte de la municipalité, là dedans, qu'on en trouve, tous les jours, deux ou trois, de noyés.

– Des noyés ?

– Venez donc vous convaincre que je n'exagère pas. »

Vocabulary

le tintement des cristaux *the clinking of crystal glasses*	écarté *removed, isolated*
faubourg *(working class) district*	vous assombrissez le paysage *you're casting a gloom over the area*
de boue ou de poussière *of mud or dust*	je m'étais enraciné *I had put down roots / settled down*
soûler les poumons *to intoxicate the lungs*	une clarté morte *a dim light*
les lotissements *housing estates*	

1.　(i)　Trouvez dans la première section la phrase qui montre que l'auteur s'inquiétait en marchant dans ce quartier.

　　　　...

　　(ii)　Citez dans la deuxième section une expression qui indique que les constructeurs n'avaient pas fini leur travail.

　　　　...

2.　Relevez dans la deuxième section les mots / expressions qui montrent que l'auteur n'aime pas le faubourg où il habite.

　　...

3.　(i)　Selon la troisième section (*cochez la bonne case*) :
　　　　(a)　personne n'achète de billets pour le gros lot　　　　❐
　　　　(b)　tout le monde achète des appartements　　　　❐
　　　　(c)　les habitants ne veulent pas partir du quartier　　　　❐
　　　　(d)　personne n'achète plus d'habitations.　　　　❐

　　(ii)　Quel(s) détail(s) dans la troisième section nous fait (font) penser que les résidents ne sortent guère de chez eux ?

　　　　...

　　(iii)　Trouvez dans la troisième section les mots / expressions qui montrent que l'auteur croit que son compagnon est trop pessimiste.

　　　　...

4.　(i)　Quel détail montre que son compagnon ne rigole pas. (**Section 3**)

　　　　...

　　(ii)　Trouvez le mot qui veut dire « construite ». (**Section 2**)

　　　　...

5.　Pour chacun des mots soulignés dans la section 3, trouvez dans le texte le mot auquel il se réfère.
　　(i)　ils ....
　　(ii)　en ....

6.　How does the author express the atmosphere of fear in this unfortunate suburb? (**50 words**)

　　...
　　...
　　...
　　...
　　...

Literary comprehension 2

LE MUR
par Jean-Paul Sartre

1. On nous poussa dans une grande salle blanche, et mes yeux se mirent à cligner parce que la lumière leur faisait mal. Ensuite, je vis une table et quatre types derrière la table, des civils, qui regardaient des papiers. On avait massé les autres prisonniers dans le fond et il nous fallut traverser toute la pièce pour les rejoindre. Il y en avait plusieurs que je connaissais et d'autres qui devaient être étrangers. Les deux qui étaient devant moi étaient blonds avec des crânes ronds ; ils se ressemblaient : des Français, j'imagine. Le plus petit remontait tout le temps son pantalon : c'était nerveux.

2. Ça dura près de trois heures ; j'étais abruti et j'avais la tête vide ; mais la pièce était bien chauffée et je trouvais ça plutôt agréable : depuis vingt-quatre heures, nous n'avions pas cessé de grelotter. Les gardiens amenaient les prisonniers l'un après l'autre devant la table. Les quatre types leur demandaient alors leur nom et leur profession. La plupart du temps ils n'allaient pas plus loin – ou bien alors ils posaient une question par-ci, par-là : « As-tu pris part au sabotage des munitions ? » Ou bien : « Où étais-tu le matin du 9 et que faisais-tu ? » Ils n'écoutaient pas les réponses ou du moins ils n'en avaient pas l'air : ils se taisaient un moment et regardaient droit devant eux puis ils se mettaient à écrire. Ils demandèrent à Tom si c'était vrai qu'il servait dans la Brigade internationale : Tom ne pouvait pas dire le contraire à cause des papiers qu'on avait trouvés dans sa veste. À Juan ils ne demandèrent rien, mais, après qu'il eut dit son nom, ils écrivirent longtemps.

3. – C'est mon frère José qui est anarchiste, dit Juan. Vous savez bien qu'il n'est plus ici. Moi je ne suis d'aucun parti, je n'ai jamais fait de politique.

Ils ne répondirent pas. Juan dit encore :

– Je n'ai rien fait. Je ne veux pas payer pour les autres.

Ses lèvres tremblaient. Un gardien le fit taire et l'emmena. C'était mon tour :

– Vous vous appelez Pablo Ibbieta ?

Je dis que oui.

4. Le type regarda ses papiers et me dit :

– Où est Ramon Gris ?
– Je ne sais pas.
– Vous l'avez caché dans votre maison du 6 au 19.
– Non.

Ils écrivirent un moment et les gardiens me firent sortir. Dans le couloir Tom et Juan attendaient entre deux gardiens. Nous nous mîmes en marche. Tom demanda à un des gardiens :

– Et alors ?
– Quoi ? dit le gardien.
– C'est un interrogatoire ou un jugement ?
– C'était le jugement, dit le gardien.
– Eh bien ? Qu'est-ce qu'ils vont faire de nous ?

Le gardien répondit sèchement :

– On vous communiquera la sentence dans vos cellules.

Vocabulary

abruti *stunned / dazed*	nous nous mîmes (*se mettre*) en marche *we started walking*
grelotter *to shiver*	sèchement *drily*

1. (i) Quel détail dans la première section nous montre que la lumière était trop forte pour Pablo ?

. . . .

(ii) Relevez dans la première section les mots / expressions qui indiquent qu'un des prisonniers était inquiet.

....

2. (i) Dans la deuxième section, trouvez deux détails qui montrent que les juges ne s'intéressaient pas aux réponses des prisonniers.

∴..

....

(ii) Pourquoi est-ce que Tom ne pouvait pas nier qu'il était membre de la Brigade Internationale ?

....

3. (i) Pourquoi, d'après la troisième section, est-ce que Juan trouve son jugement injuste ?

....

(ii) Trouvez dans la quatrième section un exemple d'un verbe au passé simple.

....

4. Selon la quatrième section, les juges croient que *(cochez la bonne case)* :
   (a) Pablo est vraiment Ramon Gris   ❏
   (b) Ramon Gris était resté chez Pablo   ❏
   (c) Tom et Juan attendaient dans le jardin   ❏
   (d) Il y aurait un interrogatoire dans la cellule.   ❏

5. Trouvez dans la deuxième section, des expressions qui veulent dire :
   (i) participé...
   (ii) ils gardaient le silence ....

6. Do you think that the prisoners of war in this text are mistreated? (**50 words**)

....

....

....

....

Literary comprehension 3

L'HOMME DE MARS
par **GUY DE MAUPASSANT**

1.   J'étais en train de travailler quand mon domestique annonça :

« Monsieur, c'est un monsieur qui demande à parler à Monsieur.

– Faites entrer. »

J'aperçus un petit homme qui saluait. Il avait l'air d'un chétif maître d'études à lunettes, dont le corps fluet n'adhérait de nulle part à ses vêtements trop larges. Il balbutia :

« Je vous demande pardon, Monsieur, bien pardon de vous déranger. »

Je dis :

« Asseyez-vous, Monsieur. »

Il s'assit et reprit :

« Mon Dieu, Monsieur, je suis très troublé par la démarche que j'entreprends. Mais il fallait absolument que je visse quelqu'un, il n'y avait que vous ... que vous ... Enfin, j'ai pris du courage ... mais vraiment ... je n'ose plus.

2.   – Osez donc, Monsieur.

– Voilà, Monsieur, c'est que, dès que j'aurai commencé à parler, vous allez me prendre pour un fou.

– Mon Dieu, Monsieur, cela dépend de ce que vous allez me dire.

– Justement, Monsieur, ce que je vais vous dire est bizarre. Mais je vous prie de considérer que je ne suis pas fou, précisément par cela même que je constate l'étrangeté de ma confidence.

– Eh bien, Monsieur, allez.

– Non, Monsieur, je ne suis pas fou, mais j'ai l'air fou des hommes qui ont réfléchi plus que les autres et qui ont franchi un peu, si peu, les barrières de la pensée moyenne. Songez donc, Monsieur, que personne ne pense à rien dans ce monde. Chacun s'occupe de ses affaires, de sa fortune, de ses plaisirs, de sa vie enfin, ou de petites bêtises amusantes comme le théâtre, la peinture, la musique ou de la politique, la plus vaste des niaiseries, ou de questions industrielles. Mais qui donc pense ? Qui donc ? Personne ! Oh ! je m'emballe ! Pardon. Je retourne à mes moutons.

3.   « Voilà cinq ans que je viens ici, Monsieur. Vous ne me connaissez pas, mais moi je vous connais très bien ... Je ne me mêle jamais au public de votre plage ou de votre casino. Je vis sur les falaises, j'adore positivement ces falaises d'Étretat. Je n'en connais pas de plus belles, de plus saines. Je veux dire saines pour l'esprit. C'est une admirable route entre le ciel et la mer, une route de gazon, qui court sur cette grande muraille, au bord de la terre, au-dessus de l'Océan. Mes meilleurs jours sont ceux que j'ai passés, étendu sur une pente d'herbes, en plein soleil, à cent mètres au-dessus des vagues, à rêver. Me comprenez-vous ?

– Oui, Monsieur, parfaitement.

– Maintenant, voulez-vous me permettre de vous poser une question ?

– Posez, Monsieur.

– Croyez-vous que les autres planètes soient habitées ? »

Je répondis sans hésiter et sans paraître surpris :

«Mais, certainement, je le crois.»

Vocabulary

chétif *puny*	des niaiseries *nonsense / rubbish*
fluet *skinny*	je retourne à mes moutons *I'll get back to my subject*
que je visse *that I might see (imperfect subjunctive of* voir)	il balbutia *he stammered*

1. (i) Donnez un détail de la première section qui indique que l'homme présenté par le domestique était mal vêtu.

   ....

   (ii) Citez dans la première section la phrase qui montre que le petit homme avait peur d'en dire plus.

   ....

2. Selon la deuxième section, les hommes ne pensent qu'à des choses peu intéressantes. Donnez deux exemples.

   ....

   ....

3. (i) Comment savons-nous que le petit homme n'est pas sociable ? (**Section 3**)

   ....

   (ii) Trouvez deux détails dans la troisième section qui prouvent que le petit homme aime habiter près de la mer.

   ....

   ....

4. Relevez dans la première section un exemple d'un verbe à l'impératif.

   ....

5. Pour chacun des mots soulignés, trouvez le mot auquel il se réfère.
   (i) qui ....
   (ii) en ....

6. Describe the emotional state of the visitor throughout the recounting of his experience.
                                                                    (**50 words**)

   ....

   ....

   ....

   ....

Literary comprehension 4

La Bicyclette bleue
Régine Deforges

1. « Tu as entendu ? »

   « *Laurent a bu son verre de lait …* »

   « Il est vivant ! il est vivant ! »

   Riant et pleurant, elles se jetèrent dans les bras l'une de l'autre. Laurent d'Argilat allait bien. C'était un des messages convenus pour leur faire savoir qu'elles ne devaient pas s'inquiéter.

   Cette nuit-là, Léa et Camille eurent un sommeil paisible.

   Une semaine après Pâques, leur ami, le boucher de Saint-Macaire qui avait aidé à l'évasion du père Adrien Delmas, vint leur rendre visite à bord de sa camionnette à gazogène. Elle faisait un tel bruit qu'on était averti de son arrivée plusieurs minutes à l'avance. Lorsque le véhicule pénétra dans la propriété, Camille et Léa se tenaient déjà sur le pas de la porte de la cuisine.

2. Albert vint vers elles avec un large sourire, portant un paquet enveloppé d'un linge très blanc.

   « Bonjour, madame Camille, bonjour, Léa.

   —Bonjour, Albert, quel plaisir de vous voir ! Cela fait près d'un mois que vous n'étiez pas venu.

   —Hé ! madame Camille, on ne fait pas ce qu'on veut de nos jours. Je peux entrer ? Je vous ai apporté un beau rôti et du foie de veau pour le petit. Mireille a ajouté une terrine de lièvre. Vous m'en direz des nouvelles.

   —Merci, Albert. Sans vous on ne mangerait pas souvent de la viande ici. Comment va votre fils ?

   —Bien, madame Camille, bien.

   —Bonjour, Albert. Vous prenez bien une tasse de café ?

   —Bonjour, mademoiselle Ruth. Avec plaisir. C'est du vrai ?

   —Presque », dit la gouvernante en prenant la cafetière tenue au chaud sur un coin de la cuisinière.

3. « Vous avez raison, c'est presque du vrai. Approchez-vous, j'ai des choses importantes à vous dire. Voilà … Hier, j'ai reçu un message du père Adrien. Il est possible qu'on le revoie bientôt dans les parages.

   —Quand ? …

   —Je n'en sais rien. On a réussi à faire évader les frères Lefèvre de l'hôpital.

   —Comment vont-ils ?

   —Ils sont soignés chez un médecin près de Dax. Dès qu'ils seront rétablis, ils rejoindront le maquis de Dédé le Basque. Vous vous souvenez de Stanislas ?

   —Stanislas ? demanda Léa.

   —Aristide, si vous préférez.

   —Oui, bien sûr.

   —Il faudrait que l'une de vous prévienne Mme Lefèvre pour lui dire que ses garçons vont bien.

4. —J'irai, dit Léa. Je suis tellement heureuse pour eux. Cela n'a pas été trop difficile ?

   —Non. Nous avions des complicités à l'intérieur de l'hôpital et les policiers de garde étaient des hommes de Lancelot. Vous avez entendu le message de monsieur Laurent, hier à la radio de Londres ?

   —Oui. On dirait qu'après tant de jours d'angoisse, les bonnes nouvelles arrivent toutes ensemble. »

   Tous se souvenaient de l'édition du 20 février de *La Petit Gironde* annonçant : exécution de terroristes à Bordeaux.

5. «Quand tout cela va-t-il se terminer ? soupira Ruth en essuyant ses yeux.

   —Bientôt, j'espère ! C'est qu'on n'est pas bien nombreux. Ils sont malins ceux de la Gestapo. Depuis la vague d'arrestations, de déportations et d'exécutions en Gironde, Aristide et les autres ont du mal à trouver des volontaires. »

1. (i) Comment est-ce que les deux femmes ont montré leur joie quand elles ont appris que Laurent n'était pas mort ? (**Section 1**)

    ....

    (ii) Dans cette section, citez la phrase qui montre que les femmes ont bien dormi.

    ....

2. (i) Comment est-ce que Camille et Léa savaient que le boucher arrivait à leur maison ? (**Section 1**)

    ....

    (ii) Relevez les mots dans la première section qui montrent qu'Albert est heureux.

    ....

3. Mentionnez deux denrées alimentaires qu'Albert a données aux femmes. (**Section 2**)

    ....

    ....

4. (i) Selon la troisième section, il se peut que le père Adrien (*cochez la bonne case*) :
    - (**a**) soit envoyé à une autre paroisse ❒
    - (**b**) rentre dans les environs ❒
    - (**c**) soit renvoyé de son travail ❒
    - (**d**) aille partager sa paroisse. ❒

    (ii) Trouvez un exemple d'un verbe pronominal dans la troisième section.

    ....

5. (i) Relevez dans la quatrième section les mots qui indiquent qu'il y a beaucoup de gens qui ne reçoivent pas de bonnes nouvelles. (**Section 4**)

    ....

    (ii) Citez la phrase qui indique qu'il est difficile de trouver des hommes pour se battre contre les Allemands. (**Section 5**)

    ....

6. Is life under German occupation difficult for people in this part of France? Give two reasons, with reference to the text. (**50 words**)

    ....

    ....

    ....

    ....

4 Written Expression (Production écrite)

The written section is arguably the most difficult part of the whole Leaving Certificate exam, and students generally score lower marks in it than in the written comprehension, oral and aural. Comprehension is easier because the main skill involved is recognition; in written expression, you must recall vocabulary and expressions, and then create grammatically correct French sentences.

Format

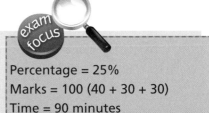

exam focus

Percentage = 25%
Marks = 100 (40 + 30 + 30)
Time = 90 minutes
(30 + 25 + 25 + 10-minute check)

- In this section of the exam, you must produce your own ideas in French.

- You must answer three questions – Question 1 (which is compulsory) and two of Questions 2, 3 and 4.

- For Question 1, you are expected to write about 90 words. The other two questions require about 75 words each.

- Question 1 relates to the Journalistic and Literary Comprehensions. You are most likely to be asked to write an opinion based on the theme of the Comprehension that you just answered, but relating to your own experience.

- You must answer one of the two questions within Question 1.

- Questions 2, 3 and 4 offer you a choice of two assignments each. You must complete one assignment from each of two sections.

- Question 2 includes two of the following:
  (a) diary entry
  (b) informal letter or email
  (c) formal letter.

- Question 3 asks you to give your reaction to (your opinion on):
  (a) a quotation by a young person; *or*
  (b) an illustration, e.g. a graph / chart.

- Question 4 requires you to react to one of the following:
  (a) a short prose article; *or*
  (b) a chart; *or*
  (c) information in tables; *or*
  (d) a photo or picture.

Question 2

Each of the points asked **must be dealt with**. Some development is required, but not all the points have to be developed to the same extent.

If you leave out any of the points, your marks for communication and language will be reduced proportionately. For example, if you leave out one of four points asked, then you automatically lose 25% of the marks for that question.

Marks

Diary entry
Communication: 15 marks
Language: 15 marks

Letter
Layout: 6 marks
Fulfilling communicative tasks: 12 marks
Language: 12 marks

Letter layout
Top of page (addresses, date, etc.): 3 marks
Opening (e.g. 'Monsieur') and signing off: 3 marks

Questions 3 and 4 (a) and (b)
Communication: 15 marks
Language: 15 marks

The following are accepted for the letter opening:
- Monsieur le directeur
- Madame
- Madame la directrice
- Monsieur / Madame

Checklist for the Written Expression section

This point cannot be stressed enough – allow a **few minutes** at the end of the exam to **check your answers**, particularly the written section. We all make mistakes when writing in our mother tongue, English, so why not in French?

For your written work to be as good as it can be, use the checklist below.

✔ Have you **planned your ideas** and divided them into paragraphs?

✔ Do your answers clearly **reflect the question**?

✔ Have you used **phrases / idioms** where relevant?

✔ Are your verbs in the **correct tenses**?

✔ Did you check that you wrote the right **endings for the verbs**?

 (a) There is **never** a 't' at the end of a verb with 'je'; there is never an 's' after 'il / elle / on'.

 (b) Note the **only four verbs** that take '**-ont**' instead of '-ent' in the 'ils / elles' forms in the present tense: ils / elles vont (aller) / ont (avoir) / sont (être) / font (faire).

 (c) Be careful to use the appropriate verb endings:

  ma famille / mon équipe / tout le monde – '**il**' ending.

  mes amis et moi / ma famille et moi – '**nous**' ending.

  les gens / les Français / la plupart – '**ils**' ending.

✔ Did you use the correct **auxiliary verb** (avoir / être) in the 'passé composé'?

 j'**ai** rencontré, je **suis** allé, il s'**est** dépêché.

✔ Check that your **articles** are correct: le, la, l', les; un, une, des.

✔ Do your **adjectives** agree in **number** and **gender**?

 les **vieilles** maisons, des histoires **amusantes**.

✔ Also check your **prepositions**: à l'école, **en** France, **aux** États-Unis, **au** Royaume-Uni, **au** cinéma, à **la** plage, **de** Paris, à Paul.

✔ Did you put in the correct **accents**, e.g. 'chère, j'espère, je suis allé, problème, à'? In the Leaving Cert, it is a serious error to omit an accent that actually changes the meaning of a word, e.g. Ou *(or)* / où *(where)*; a *(has)* / à *(to, at)*.

 There are also verbs that change their accents, e.g. 'espérer – j'espère'.

✔ If you are **including yourself in a group**, the subject becomes 'we':

 Moi et mes amis nous **rencontrons** à la piscine.

 Mes frères et moi **avons** joué au golf ce matin.

✔ Do you know when to use the 'passé composé' or the 'imparfait'?

 If the action **happened**, use the 'passé composé':

 je **suis** allé au cinéma.

 If the action **was happening**, then use the 'imparfait':

 le soleil **brillait**.

✔ How do you express the common phrase 'I'll be going / doing / leaving'? It is certainly **not** 'je serai aller'!

 To say 'I'll be doing', use 'aller' + infinitive:

 Je **vais** all<u>er</u> en ville plus tard.   *I'll be going into town later (I'm going to go).*

☑ There are **two English** variations of the **present tense**: 'I go' and 'I am going'.

There is only **one in French**: je vais.

Never translate the 'am, are, is' in the English present tense.

Before the exam:

1 Carefully read and **reread** any useful **sample answers** from your school notes, so that the necessary material will sink in.

2 You are going to need **fundamental verbs** like 'pouvoir, vouloir, faire, devoir, aller, avoir, essayer de' and 'espérer', so learn them! These **verbs are followed by an infinitive**. They are useful for all aspects of the French Leaving Cert, especially the **oral**.
On <u>devrait</u> fai<u>re</u> face à ce problème.
Les jeunes <u>veulent</u> travaill<u>er</u> à temps partiel pendant la Terminale.
J'<u>espère</u> recev<u>oir</u> de bonnes notes à mon bac.

3 Be aware of **important topics in the news**, e.g. the wearing of religious symbols, the environment, the internet.
Many themes relate to **young people's concerns**, e.g. voting, mobile phones, relationships, equality, families, education. Study these topics.

During the exam:

4 Don't overload your answer with the usual. However, do have a good repertoire of **expressions** that you can call upon for most topical issues. Such phrases **develop fluency** and impress the examiner. (Many examples are given in this text. See below and pp. 84–85 and 139).

5 In the reaction question (i.e. Q.3 and Q.4) you must write around 75 words. **Begin by stating what the article is about, then give your views and conclude**: a beginning, a middle and an end.

● For example, on **opening** your response, you could say the following:
En ce qui concerne le problème des drogues ... *As far as the problem of drugs is concerned ...*
Dans le domaine du dopage en sport ... *In the area of drugs in sport ...*
Ce qui nous préoccupe ici, c'est ... *What we're dealing with here is ...*
Cette rubrique se rapporte à ... *This column refers to ...*

- Then, to **continue**:

  Il s'agit d'honnêteté. *It's a question of / has to do with honesty.*

  Il y a ceux qui croient que ... *There are those who think that ...*

  Le fléau de la drogue est devenu plus répandu. *The scourge of drugs has become more widespread.*

  Je doute que ce soit vrai. *I doubt that that is true.*

- In **conclusion**:

  Pour conclure ... *To conclude ...*

  Tout compte fait, je doute que cela se produise. *All things considered, I doubt that it will happen.*

  Il faut que les pouvoirs publics fassent quelque chose. *The authorities must do something.*

Writing tips

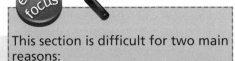

- It is a good idea to answer the comprehension questions first. These questions carry a significant percentage of the marks (30% of the total). As you are required to recognise text and understand the general meaning of it, it is not too difficult to locate the relevant areas where you may find the answers. By leaving the difficult written section until last, you should then feel a lot less pressure when answering it.

This section is difficult for two main reasons:

- You are thinking in English and translating your thoughts into French.

- Finding words is hard enough, but you must also know how to convert them into the style, idiom and grammar of French.

- Another advantage of answering the comprehension section first is that, by reading so much French, your mind will be 'switched on' to the language. Vocabulary and phrases should be easier to recall.

- There is nothing wrong with using some material that you have learned off by heart – provided it is used properly – but you should avoid learning long passages off by heart. These are obvious to the examiner, and do not earn many marks. Moreover, it is unlikely that the exact title or theme that you have learned by heart will appear on the exam paper.

- Decide what you want to say before you start writing. What is your view? Then try to remember the necessary vocabulary to help you argue your point.

- Don't overcomplicate your vocabulary or sentence structures, as you are more likely to make mistakes.

- Keep your sentences – and answers – short. There is no penalty for writing more than seventy-five words, but you are likely to make more mistakes the more you write.

- To get good marks in the Written Expression section, you need to be able to improvise. However, it doesn't hurt to memorise a few phrases or structures that can be applied to any situation. These could include:

  — Ce qui nous préoccupe ici, c'est … *What we are dealing with here is …*
  — Dans cet article, il s'agit de … *This article is about …*

- One good method of perfecting the technique of productive writing is **practice**. When you are writing an opinion, letter or note for homework, you may find that you are employing the same phrases regularly. Therefore, they will quickly come to mind in an exam.

- Be sure your answers are **relevant**. A lot of fancy French will not compensate for going off the point.

- Vary your vocabulary :
  — instead of *'beaucoup de'*, use *'bien des / pas mal de / plein de / un bon nombre de'*
  — instead of *'il y a'*, use *'on trouve / il existe'*
  — instead of *'je crois que / je pense que'*, use *'il me semble que / je soutiens que / il paraît que'*
  — instead of *'beaucoup de gens pensent que'*, use *'il y a ceux qui croient / certains pensent que'*
  — instead of *'causer'*, use *'provoquer / déclencher* (*to set in motion*)'

- Use **adjectives** and **make them agree**! Too often, students rely on the 'easy' adjectives like 'bon' and 'sympa' to cover a variety of people and places. You should also try:

  Le patron était très **serviable**. *The owner was very obliging / willing to help.*

  La direction de l'hôtel était **arrangeante**. *The hotel management was accommodating.*

  La traversée a été **agréable**. *The crossing was pleasant.*

  C'est un type **génial** ! *He's a fantastic bloke!*

  C'est un bâtiment **laid**. *It's an ugly building.*

  Le gouvernement a fait un effort **lamentable**. *The government made a deplorable effort.*

  C'est un stage **dur**. *It's a tough course.*

  Ce roman est **passionnant** et **émouvant**. *This novel is exciting and moving.*

  Le paysage du Connemara est **sauvage**. *The Connemara countryside is wild.*

  Le coût de la vie est **inquiétant**. *The cost of living is worrying.*

  Je prends des repas **sains** et **équilibrés**. *I eat healthy and balanced meals.*

  Nous avons des voisins **amicaux**. *We have friendly neighbours.*

- In the reaction questions, you are asked to write 75 words. You should begin by stating what the article is about, then give your views and conclude – a beginning, a middle and an end.

- Allow a few minutes at the end of the exam to check your answers, particularly the Written Expression section. As we all make some mistakes when writing in English, then it is likely that we will do so when writing in a foreign language. You must check all verb endings, agreements of adjectives, position of pronouns and so on. This is an essential part of the exam, so don't skip it!

Vocabulary

The following are some useful phrases for expressing arguments for and against.

For

Je suis d'accord avec Mathieu   *I agree with Mathieu*

Je tombe d'accord avec Jeanne   *I agree with Jeanne*

J'adhère totalement au point de vue de Monsieur O'Neill   *I agree entirely with Mr O'Neill's point of view*

Je suis entièrement de son avis   *I totally agree with him*

Je trouve / crois qu'ils ont raison   *I think that they are right*

Je partage le point de vue du Docteur Besson   *I share Dr Besson's point of view*

Je suis tout à fait d'accord avec l'affirmation citée ci-dessus   *I agree with the aforementioned statement*

Against

Il est faux de dire que / Il n'est pas juste de dire que ...   *It is wrong to say that ...*

Il m'est impossible d'accepter ...   *I cannot accept ...*

Je ne suis pas d'accord avec Alex   *I don't agree with Alex*

Je trouve qu'ils ont tort   *I think that they're wrong*

Disapproval

Je désapprouve tout changement   *I disapprove of any change*

La police n'aurait pas dû arrêter Julia   *The police shouldn't have arrested Julia*

Je trouve qu'ils ont eu tort de ...   *I think that they were wrong to ...*

Je ne supporte pas un tel manque de ...   *I cannot tolerate such a lack of ...*

Je suis déçu par ...   *I am disappointed by ...*

Je ne comprends pas comment on peut ...   *I can't understand how people can ...*

Je m'oppose au tabagisme   *I'm against smoking*

De quel droit se permet-on de ... ?   *What right does anyone have to ... ?*

What must be done

On doit faire preuve de plus de patience   *People must be more patient*

Il faut absolument ...   *We / people absolutely must ...*

Nous sommes obligés de ...   *We have got to ...*

On devrait ...   *We / people should ...*

Il est indispensable de ...   *It is essential to ...*

What must not be done

Il ne faut pas se droguer   *People must not take drugs*

On n'a pas le droit de ...   *No one has the right to ...*

On ne devrait pas hurler   *You / people shouldn't shout*

Nous ne pouvons / devons pas tolérer un tel crime   *We can't / mustn't tolerate such a crime*

Further expressions

Il faut prendre les choses du bon côté   *You've got to look on the bright side*

Le problème est devenu plus répandu   *The problem has become more widespread*

À la suite de ...   *As a result of ...*

À titre d'exemple, regardez ...   *For example, look at ...*

Qui plus est ...   *Moreover ...*

Toute réflexion faite ...   *When all is said and done ...*

En revanche ...   *On the other hand ...*

Qu'on le veuille ou non   *Whether we like it or not*

Je doute que cela se passe   *I doubt that will happen*

Il faut qu'on agisse tout de suite   *We / they must act at once*

Il faut qu'on fasse quelque chose   *We / they must do something*

Il y a ceux qui croient ...   *Some people think ...*

Cela entraîne beaucoup d'investissement   *That involves a lot of investment*

Il est possible que le problème s'aggrave à l'avenir   *It is possible that the problem will get worse in the future*

Il est vraisemblable que le gouvernement fera quelque chose   *It is likely that the government will do something*

Selon une enquête effectuée par les rechercheurs ...   *According to a survey carried out by researchers ...*

La situation ne cesse de s'empirer   *The situation keeps getting worse*

Le taux de criminalité est en baisse   *The crime rate is decreasing*

1 The **logical future** tense causes problems. You can revise this tense sequence in the Grammar section (pp. 151–178). We will look at one example here:
Je te téléphonerai quand j'y arriverai.   *I will phone you when I get there (literally 'when I will get there').*

2 Another difficulty concerns the **'futur simple'**, e.g. we **will be staying** in London – this must **not** be translated literally. Instead say:
We **are going to stay** in London *(Nous allons rester à Londres).*

3 Make the verbs and adjectives agree!
Les chambres **étaient** confortables et propres.   *The rooms were comfortable and clean.*

Samples of opinion writing (Questions 1, 3, 4)

The following are examples of opinion writing. Read them several times to allow the relevant vocabulary to sink in, but don't learn these passages off by heart! The danger is that you will come to rely on a particular answer to a restricted question.

Rather, you should try to learn phrases and vocabulary in order to **adapt your repertoire** to any other question on a similar topic.

For example, to start an answer to a topical question, you could write:

En ce qui concerne le ... / dans le domaine du dopage en sport ...
As far as ... is concerned / in the area of drugs in sport ...

Finally, it should be noted that these passages exceed the number of words a student is expected to write. The reason for this is to include more ideas and vocabulary relating to the topics. These passages may also be useful for the **Oral Exam**.

As an added exercise, you could translate these exercises yourself before reading the translations below.

Le dopage en sport

En ce qui concerne le dopage en sport, le phénomène s'est beaucoup répandu. Pourquoi un athlète, qui est en belle forme et qui s'entraîne dur, prend-il des drogues ? C'est une question fort difficile à résoudre.

La médaille d'or ou la Coupe, voilà tout ce qui importe. On peut aussi gagner une grande somme d'argent en remportant le « Prix ». Ainsi, **l'enjeu** est grand.

> the stakes

Il s'agit des pressions du sport moderne. Le but est de gagner, plus que de participer. Les Jeux olympiques sont devenus les « Jeux de la Consommation », où de grandes entreprises essaient de vendre leurs produits. Elles dominent tous les principaux tournois mondiaux avec leur publicité, leur **parrainage** et avec la promotion de leurs marchandises **haut de gamme**.

> top of the range

> sponsorship ('le parrain' – godfather)

Ainsi, la pression et l'entraînement rigoureux sont parfois trop durs pour l'athlète – et il / elle a recours à la drogue. À cause de ce **fléau** du dopage, les autorités et les spectateurs **se méfient** d'un athlète qui gagne. On doit tester les athlètes au hasard.

> scourge

> mistrust (takes 'de')

Qui est le perdant ? Le sport, et également les sportifs honnêtes.

Translation

Doping in sport

As far as drug taking in sport is concerned, the phenomenon has become more widespread than ever. Why does an athlete, who is in good shape and who trains hard, take drugs? It's a very hard question to answer.

The gold medal or cup, these are the only things that matter. You can also earn a huge amount of money by winning the 'prize'. Thus, the stakes are high.

It has to do with the pressures of modern sport. The goal is to win more than to participate. The Olympic Games have become the 'Consumerist Games', where large businesses try to sell their products. They dominate all the major world tournaments with their advertising, their sponsorship and their promotion of top-of-the-range goods.

Thus, the pressure and the tough training are sometimes too hard for the athlete – and he turns to drugs. Because of this scourge of drug taking, the authorities and the spectators do not trust an athlete who wins. They have to do random drug tests.

Who is the loser? The sport, and also the honest athletes.

À quoi sert la littérature ?

Pour moi, la littérature a beaucoup d'avantages pour la société, et **il n'y a rien de plus important** que l'éducation. La littérature nous permet de comprendre les cultures d'autres pays. On **apprend à connaître** leurs attitudes et leurs mœurs. Par exemple, dans *Les Misérables*, l'auteur Victor Hugo nous donne une image de la vie en France au dix-neuvième siècle.

> there is nothing more important

> you get to know

> although there are (subjunctive because of 'bien que')

Bien qu'il y ait des gens qui lisent des romans pour échapper au monde, il y a aussi ceux qui lisent pour **élargir leurs connaissances de la vie**.

> a work (of literature)

> to broaden their experiences of life

Un ouvrage peut être passionnant ou ennuyeux ; il raconte une histoire ou analyse le cœur humain.

Translation

What is literature for?

For me, literature has a lot of advantages for society, and there is nothing more important than education. Literature enables us to understand other countries' cultures. We get to know their attitudes and their values. For example, in Les Misérables, *the author Victor Hugo gives us a picture of life in France in the 19th century.*

Although there are people who read novels for escapism, there are those who read to broaden their knowledge of life. A work can be exciting or boring; it tells a story or analyses the human heart.

In the following passages, several phrases and some vocabulary have been included in English. It is a useful exercise to translate the English into French. In this way, you are becoming more **active** in your own learning, as you are taking part in actually writing the passage.

Translate the English in *italicised* type.

À quoi sert l'éducation ?

> ça ne sert à rien

> rien ne

Il y a ceux qui disent que *it's no use*. *Nothing* saurait me le faire croire. Sans éducation, on pourrait avoir très peu de choix concernant ce qu'on veut faire dans la vie. *Nowadays*, on *demands* des diplômes pour obtenir les bons postes.

> de nos jours

> exige

Les demandes d'emplois excèdent les offres d'emplois. Le domaine du travail de l'avenir va *to hire* les diplômés, et il n'y aura aucun poste permanent.

> embaucher

> on apprend

Il faut donc prendre au sérieux son éducation secondaire. À l'école, *you learn* pas mal de choses telles que les sciences naturelles, les langues vivantes et l'informatique. De plus, on apprend à *be part of* un groupe et à travailler avec d'autres.

> quant au / en ce qui concerne le

> faire partie d'

> caractère

As for sport à l'école, il permet aux étudiants de développer leur *personality*.

> vraisemblable

> avant de passer

Il est *probable* que ceux qui partent de l'école *before sitting* leur bac n'obtiendront pas un bon emploi. Quoi qu'il en soit, on doit *continue* ses études même après l'école.

> poursuivre / continuer

Qu'on le veuille ou non, il est plus facile de trouver un emploi lorsqu'on est diplômé.

Translation

What is education for?

There are those who say that it's no use. Nothing could make me believe that. Without an education, you could have very little choice about what you want to do in life. Nowadays, people demand degrees to get the right jobs.

Job applications exceed job offers. The future world of work will hire qualified people, and there won't be any permanent positions.

You have to take your secondary education seriously. At school, you learn a lot of things such as science, modern languages and computer technology. In addition, you learn to be part of a group and to work with others. As for sport in school, it allows students to develop their personality.

It is likely that those who leave school before sitting their Leaving Cert will not get a good job. Come what may, you must continue your studies even after school.

Whether you like it or not, it is easier to find a job when you're qualified.

L'ennui

[qui] [touche les jeunes]

C'est un problème *which affects the young* pour la plupart, et surtout dans les grandes villes. *Nowadays*, les jeunes sont la cible de nombreuses images publicitaires.

[de nos jours] [de plus en plus de]

Cela crée des besoins chez les jeunes pour *more and more* biens.

[pour s'amuser] [s'ennuient]

Ils dépendent de ces biens *to enjoy themselves*, et ils *get bored* vite. Ils en veulent plus. Pour s'évader de l'ennui, ils cherchent de nouvelles sensations … ils se droguent.

[provient de]

L'ennui *comes from* plusieurs causes. Dans les grandes agglomérations urbaines, *there is a lack of sports facilities, such as* les gymnases, les piscines et *so on and so forth*.

[il n'y a pas d'espaces verts] [il y a un manque d'installations sportives, telles que] [ainsi de suite]

Peut-être qu'*there aren't any green spaces* pour des terrains de foot.

[il y a en a qui] [peut mener à]

Qui plus est, *there are those who* ont trop de temps libre. Cette inaction *can lead to* des problèmes comme le vandalisme, surtout parmi les garçons. Trop de garçons boivent *out of boredom*. D'autres *spend* beaucoup de temps à regarder la télé.

[par ennui] [passent]

What can we do? Il doit y avoir plus d'installations pour les jeunes.

[Que faire ? / Qu'est-ce qu'on peut faire ?]

(environ 160 mots)

Translation

Boredom

It's a problem that affects the young for the most part, and especially in the big towns. Nowadays, the young are the target of numerous advertising images. That creates a need in the young for more and more goods.

They depend on these goods to enjoy themselves, and they get bored quickly. They want more. In order to escape boredom, they seek new excitement … and they take drugs.

Boredom comes from several sources. In the large urban areas, there is a lack of sports facilities, such as gyms, swimming pools and so on. Perhaps there aren't any green spaces for football pitches.

What's more, there are those with too much free time. This idleness can lead to problems like vandalism, especially among boys. Too many boys drink out of boredom. Others spend a lot of time watching television.

What can we do? There must be more facilities for young people.

Que préférez-vous ? Habiter en ville ou à la campagne ?

D'abord, *what are* [quels sont] les avantages de vivre dans une ville ? En Irlande, pour la plupart,

on habite en banlieue. *You find* [on trouve] qu'il y a beaucoup d'avantages à l'égard de la vie urbaine. Il existe bien des divertissements pour les habitants, tels que les installations locales et les centres omnisports.

Il y a pas mal de choses à faire, *as far as the young are concerned* [en ce qui concerne les jeunes]. Ils peuvent traîner dans les grandes surfaces ou aller aux théâtres et aux cinémas. Il y a des foyers de jeunes où on peut *meet one another* [se rencontrer / se retrouver] pour s'amuser le soir. On peut rejoindre ses amis dans plusieurs bistrots.

Dans le domaine des activités, presque toutes les épreuves sportives *take place* [ont lieu] en ville. Il y a tout simplement plus d'animation. Tout est proche, les beaux magasins, les musées, les universités, les transports en commun, le choix des écoles et ainsi de suite.

Alors, quels sont les *disadvantages* [inconvénients] ? Selon moi, les citadins sont plus agressifs et toujours pressés. On n'a pas de temps l'un pour l'autre. À la campagne, il est courant de voir des gens qui *chat* [bavardent] dans la rue.

We worry about [nous nous inquiétons de la] criminalité qui nous *affects* [touche] tous les jours. En plus, on est frappé par la pollution des tuyaux d'échappement et des déchets d'usines. *Don't forget* [n'oubliez pas] le bruit de la circulation, et les embouteillages.

Translation

Which do you prefer? Living in the city or in the country?

Firstly, what are the advantages of living in a city? In Ireland, for the most part, we live in suburbs. You find that there are a lot of advantages with regard to urban life. There are lots of distractions for people, such as local facilities and sports centres.

There are many things to do as far as the young are concerned. They can hang around in shopping malls or go to the theatres and cinemas. There are youth clubs where they can meet one another for fun in the evenings. You can meet your friends in several pubs.

In the area of events, almost all sports competitions take place in the city. There is, quite simply, more life. Everything is close by, attractive shops, museums, universities, public transport, a choice of schools and so on.

So, what are the disadvantages? In my opinion, city people are more aggressive and always in a hurry. They haven't any time for one another. In the countryside, you see people chatting in the street.

We worry about crime, which affects us every day. In addition, we are affected by pollution from exhaust pipes and factory waste. Don't forget the noise of traffic and the traffic jams.

La violence à la télé : est-elle la cause de la délinquance ?

à l'égard de

Regarding la violence à la télé, je crois qu'elle a une mauvaise influence sur les jeunes. Quand un jeune esprit est *struck by* des images telles que des meurtres, des attentats et des émeutes, il *must be affected*.

frappé par

doit être touché

doivent être

diffusée

Les jeunes téléspectateurs, surtout les enfants, *must be* protégés de la violence *broadcast* tous les soirs sur *the small screen*.

le petit écran

D'autre part, il faut que les parents *teach* aux jeunes que la violence à la télé n'est pas la norme.

apprennent

Par contre, les jeunes qui sont bien élevés, bien instruits et qui habitent des foyers heureux, *do not take seriously the violence that they see* à la télé. Ils *realise* que c'est de la fantaisie, du divertissement.

ne prennent pas au sérieux

la violence qu'ils voient

se rendent compte

Après tout, les délinquants vivent *sometimes* sans abri, *sometimes* dans des *backgrounds* défavorisés.

peuvent enregistrer

tantôt

tantôt

milieux

L'embêtant, c'est que les enfants *can record* les films destinés aux adultes.

ce que

De l'aveu général, il y a un manque de contrôle des parents sur *what* regardent ces jeunes à la télé.

Translation

Violence on television: is it the cause of anti-social behaviour?

Regarding violence on television, I think that it has a bad influence on young people. When a young mind is assailed by such images as murders, assaults and riots, it must be affected.

Young TV viewers, especially children, must be protected from the violence broadcast every evening on the small screen.

On the other hand, it is necessary for parents to teach the young that violence on television is not the norm.

On the contrary, young people who are well brought up and well educated and who live in happy home environments do not take the violence that they see on television seriously. They realise that it is make-believe entertainment.

After all, delinquents are sometimes homeless, and sometimes have deprived backgrounds.

The annoying thing is that children can record films intended for adults.

The general opinion is that there is a lack of parental control over what young people watch on television.

Question 1 sample answers

Sample question

En Irlande aujourd'hui, beaucoup de personnes ne peuvent pas vivre sans Internet. Qu'en pensez-vous ?

Sample answer

> Je crois que c'est vrai. Je trouve que presque tout le monde utilise Internet. **On** passe plusieurs heures par jour devant l'écran de l'ordinateur. Mais que voulez-vous ? Il est à noter qu'il y a bien des avantages à Internet. On se sert de Internet pour faire des affaires et pour envoyer des documents.
>
> Il y a des gens qui l'utilisent pour envoyer des méls aux amis, au lieu d'écrire une lettre. Il n'y a pas besoin de sortir sous la pluie pour acheter un timbre à la poste !
>
> Moi, **je me sers de** l'internet pour surfer, c'est-à-dire pour trouver des informations. Ça sert à faire des études à l'école et à la fac. On peut aussi participer à des forums pour s'exprimer.
>
> Beaucoup de jeunes jouent aux jeux électroniques avec d'autres de n'importe où dans le monde. Aussi, il va sans dire que les réseaux sociaux font une grande partie des vies quotidiennes des jeunes.
>
> Pour conclure, **on ne peut pas s'en passer**. Ce serait très difficile.

Translation

I think it's true. I find that almost everyone uses the internet. <u>People</u> spend several hours a day in front of the computer screen. But what do you expect? It must be said that there are many advantages to the internet. People use the internet to do business and send documents.

There are those who use it to send emails to friends, instead of writing a letter. You don't have to go out in the rain to the post office to buy a stamp!

<u>I use</u> the internet to surf, that is to say, to find information. It's used for studying at school or college. You can also take part in debates to express yourself.

Many young people play computer games with other people from all over the world.

To conclude, <u>people can't do without it</u>. It would be very difficult.

Sample question

Aujourd'hui en Irlande, on prend la voiture au lieu d'utiliser les transports en commun ou d'aller à pied. Quels problèmes cela pose-t-il pour notre société ?

Sample answer

Malheureusement, de nos jours, les voitures sont un fléau dans notre société. Il y a trop de circulation et d'embouteillages dans les villes. Les rues **sont pleines à craquer aux heures de pointe**.

Presque tout le monde utilise une voiture au lieu d'utiliser les transports en commun. Nous sommes devenus paresseux.

Tout cela **a provoqué** des problèmes pour nous. D'abord, les **pots d'échappement** émettent de la CO_2 qui est une cause de **l'effet de serre**. Et il y a maintenant un énorme trou dans la **couche d'ozone**.

L'usage des voitures est lié au problème de l'obésité, parce que **peu de gens** vont au travail à pied.

Quant aux jeunes, ils désirent des autos et ils les conduisent trop vite. **Il en résulte** plus d'accidents mortels. Il y a ceux qui ne font pas assez attention à la sécurité routière.

Finalement, de plus en plus de voitures **entraînent** plus de routes. Les communautés sont divisées par les autoroutes, et il y a plus de bruit. Il va sans dire que les voitures ont créé **un tas de maux** pour notre société.

Translation

Unfortunately, nowadays, cars are a scourge in our society. There is too much traffic and too many traffic jams in the towns. The roads <u>are full to bursting at rush hour</u>.

Almost everyone uses a car instead of using public transport. We have become lazy.

All that <u>has caused</u> problems for us. Firstly, the <u>exhaust pipes</u> emit CO_2, which is a cause of <u>the greenhouse effect</u>. And there is now a huge hole in the <u>ozone layer</u>.

The use of cars is linked to the problem of obesity, because <u>few people</u> walk to work.

With regard to young people, they want cars and they drive them too quickly. <u>The result is</u> more fatal accidents. There are those who do not pay enough attention to road safety.

Finally, more and more cars <u>involve</u> more roads. Communities become separated by motorways and there is more noise. It goes without saying that cars have created <u>a heap of problems</u> for our society.

Sample question

« Les langues ouvrent des voies »

C'est le slogan de l'Année européenne des langues. D'après vous, l'acquisition d'une langue étrangère est-elle un avantage pour votre carrière, ou bien, un enrichissement culturel, ou même, les deux à la fois ? (75 mots environ)

Sample answer

> **Il y en a qui croient** que les langues vivantes sont inutiles parce que l'anglais est la langue internationale de la musique pop, de l'informatique et du commerce. **En revanche**, je crois que l'apprentissage d'une langue va au-delà d'une fonction simple.
>
> Il faut apprendre une langue européenne pour mieux connaître la culture et les gens de ce pays. On doit respecter les autres Européens et faire un effort de communiquer dans leur langue. Ce n'est pas vrai que tout le monde, en dehors des pays anglophones, parle anglais. Les écoliers en Europe apprennent trois langues étrangères.
>
> « L'homme qui maîtrise deux langues vaut deux hommes », comme a dit quelqu'un. **Bien des** entreprises **embauchent** des employés qui parlent des langues étrangères. Elles **exigent** une compétence dans au moins deux langues. Donc, ce n'est pas seulement un enrichissement culturel, mais aussi une nécessité économique.

Translation

There are those who think that foreign languages are useless because English is the international language of pop music, computers and business. On the other hand, I think that the learning of a language goes beyond a mere function.

You have to learn a European language to better understand the culture and people of that country. You must respect other Europeans and make an effort to communicate in their language. It's not true that everyone, outside English-speaking countries, speaks English. Pupils in Europe learn three foreign languages.

As someone said: 'the man who masters two languages is worth two men'. Many firms hire employees who speak foreign languages. They require a skill in at least two languages. Therefore, it's not only a cultural enrichment but also an economic necessity.

Note carefully the many agreements of adjectives, often forgotten by students in their exam.

Also, opposite arguments are included here in answers to the same question. This is not necessary in the examination.

Leaving Cert 2018
Question 1 (a)

« En France rurale la vie devient de plus en plus difficile. Il faut faire plus pour améliorer la vie en Irlande rurale. »
Qu'en pensez-vous ?

Sample answer

Sans aucun doute, je suis absolument d'accord avec cette déclaration. On ne peut pas nier que **l'Irlande rurale fait partie de la culture irlandaise et de notre patrimoine.** Cependant, le gouvernement oublie ce fait. La plupart des gens pensent que la campagne est isolée et que personne n'habite là-bas. Dans ces endroits **éloignés**, les habitants se sentent coupés du reste du monde. Souvent, il n'y a pas de connexion Internet dans ces lieux, **ce qui rend la vie difficile pour ceux qui** y habitent.

Personne ne peut nier que la vie rurale offre beaucoup d'avantages. Il est vrai que l'air est pur et frais; et que le paysage est beau. **On dirait que** la vie quotidienne est assez calme et tranquille. On peut bien respirer parce qu'il y a moins de pollution. Tout cela est bon pour la santé. On y trouve aussi du **logement abordable**.

De l'autre part, **il faut qu'on reconnaisse** qu'il y a le côté négatif. Les régions rurales ne sont pas toutes parfaites. La campagne est loin de tout. La vie peut être difficile pour la population. Il y a un manque de services et d'installations **telles que les équipements de sport**, les hôpitaux et même les transports en commun.

Si on veut faire les courses, avoir une voiture et rouler pendant de nombreux kilomètres pour aller à la ville la plus proche. La campagne manque de clubs de sport pour les jeunes. Comme résultat, **les jeunes n'ont rien d'autre à faire, sauf** faire des bêtises et boire de l'alcool. S'ils veulent sortir avec leurs amis, ils doivent aller en ville.

De plus, de nombreuses personnes âgées ont besoin d'aide, mais elles n'en reçoivent guère. Ces vieux pourraient prendre l'autobus, mais les bus ne vont pas jusqu'aux petits villages ruraux." Ces personnes âgées se sentent isolées.

Autant que je sache, les hommes politiques **font la sourde oreille envers** les régions rurales. Ils doivent faire un plus grand effort.

Il y a un point **qui mérite d'être** mentionné, et c'est que ceux qui ne sont pas contents de vivre à la campagne, peuvent déménager à la ville. Pour les jeunes, la campagne est trop ennuyeuse et ils veulent partir. Le manque d'activités et d'animation **peuvent entraîner** le cafard et la solitude.

Pour conclure, on dirait que la vie en Irlande rurale favorise les vieux. Ils sont entourés de nature. Il y a un sens de communauté et tout le monde **se connaît**. En plus, il y a un bas taux de criminalité. Beaucoup de gens ne veulent pas que la campagne soit [*subj. after verbs of wishing*] changée. **Est-il besoin d'**améliorer les régions rurales ?

Translation

Without a doubt, I am in total agreement with this statement. We can't deny that <u>rural Ireland is a part of Irish culture and our heritage</u>. However, the government forgets this fact. Most people think that the countryside is isolated and that nobody lives there. In these <u>far-removed</u> places, the locals feel cut off from the rest of the world. Often, there is no internet connection in these areas, <u>which makes life difficult for those who</u> live there.

<u>No one can deny that</u> rural life offers lots of advantages. It's true that the air is pure and fresh; and that the landscape is beautiful. <u>You could say</u> that daily life is quite calm and peaceful. You can breathe clean air because there is no pollution. All that is good for your health. You will also find <u>affordable housing</u> there.

On the other hand, <u>we have to acknowledge</u> that there is the negative side. Rural areas aren't always perfect. The countryside is far from everything. Life can be hard for the people. There is a lack of services and facilities <u>such as sports facilities</u>, hospitals and even public transport.

If someone wants to do their grocery shopping, they must have a car to drive to the nearest town many kilometres away. The countryside lacks sports clubs for the young people. As a result, <u>young people don't have anything to do, except</u> mess around and drink alcohol. If they wish to go out with their friends, they have to go into town.

To add to that, there are many old people who need help but scarcely receive <u>any</u>. These elderly people could take the bus, but the buses don't <u>go</u> to rural villages. These old people feel isolated.

<u>As far as I know</u>, the politicians <u>turn a deaf ear to</u> rural areas. They have to make a greater effort.

There is one point <u>that deserves to be</u> mentioned, and it's that those who aren't happy living in the countryside can move house to the city. For the young, the countryside is too boring and they want to leave. The lack of activities and excitement <u>can lead to</u> depression and loneliness.

In conclusion, people would say that life in rural Ireland favours the elderly. They are surrounded by nature. There is a sense of community and all the people <u>know one another</u>. In addition, there is a low rate of crime. Many people don't want the countryside to change. <u>Is there a need to</u> improve it?

Leaving Cert 2017
Question 1 (a)

L'année dernière, le nombre de touristes étrangers à Paris a diminué de 13 %. En Irlande, par contre, le nombre augmente en ce moment. De plus en plus de touristes étrangers ont envie de venir en Irlande. Quelles en sont les raisons principales, à votre avis ?

Sample answer

Pour commencer, je dois dire que Paris est une belle ville historique, mais elle est aussi énorme, chère et bruyante. Je comprends pourquoi bien des touristes ne veulent pas visiter les grandes villes européennes telles que Paris. L'une des raisons est que leur sécurité n'est pas **assurée**.

En revanche, des millions de visiteurs viennent en Irlande chaque année pour **échapper au train-train de la vie quotidienne**. Nous offrons un **accueil** célèbre. L'Irlande a beaucoup à offrir au touriste, c'est-à-dire notre **patrimoine** national, le beau paysage vert, les gens aimables et notre musique et culture.

En raison de notre population peu élevée, il y a moins de grandes villes, moins d'**agglomérations**. Donc, on peut faire le tour de notre île sans trop de circulation. Tout est à proximité de la mer et des montagnes.

Il y a ceux qui viennent ici pour les sports tels que la pêche (la meilleure de l'Europe), la voile et le golf. Il faut avoir un permis pour faire de la pêche, mais il ne manque ni rivières ni lacs pleins de poissons comme la truite et le saumon.

Dès le mois de mars, l'Irlande se repeint en vert : c'est à cette période de l'année l'Île d'Émeraude justifie son nom.

La nuit, on peut visiter les pubs pour écouter de la musique traditionnelle, et pour boire la **bière brune** célèbre, la Guinness.

Les touristes aiment **séjourner** dans des pensions ou aux fermes où ils peuvent déguster la nourriture irlandaise qui est copieuse et fraîche, telle que **le ragoût de mouton**, le jambonneau et choux, et les épaisses **tranches de jambon grillé**.

De l'autre côté, personne ne vient ici pour le temps ensoleillé. On ne peut pas compter sur notre climat. C'est trop varié, et ce n'est pas l'endroit parfait pour **se bronzer**.

Translation

To begin with, I must say that Paris is a lovely historical city; but it's also huge, expensive, and noisy. I understand why many people don't want to visit such large European cities as Paris. One reason is that their security is not <u>*guaranteed*</u>*.*

On the other hand, millions of visitors come to Ireland to escape the humdrum routine of daily life. We offer a famous welcome. Ireland has a lot to offer the tourist, i.e. our national heritage, the lovely green countryside, friendly people and our music and culture.

As a result of our small population, there are fewer cities and fewer built-up areas. So, people can tour our island without too much traffic. Everything is close to the sea and mountains.

There are those who come here for sport such as fishing (the best in Europe), sailing and golf. You must have a licence to fish, but there is no shortage of rivers and lakes full of fish like trout and salmon.

From the month of March, Ireland covers itself in green again; it's at this time that the Emerald Isle justifies its name.

At night, you can visit the pubs to listen to traditional music, and to drink the famous stout, Guinness.

Tourists like to holiday in guesthouses or on farms where they can sample Irish food, which is plentiful and fresh, such as Irish stew, bacon and cabbage, and thick rashers.

On the other hand, nobody comes here for the sunny weather. You can't count on our climate. It's too variable, and it's not the best place to get a suntan.

5 Question 2

Question 2 consists of two of the following:

- diary entry
- informal letter or email
- formal letter.

Diary entry

In a diary entry, you are expressing your thoughts on paper about the events of a particular day. **It is worth mentioning that this type of question appears on the Leaving Cert Higher Level paper almost every year.**

Note the words in **bold** in the samples below. This vocabulary is useful throughout the French Leaving Cert exam.

Diary entry sample answers

Sample question

You lost your cool with your parent(s).

Sample answer

Cher Journal,

Oui, **je me souviens** quand j'ai perdu mon sang-froid avec mon père **il y a quelques années.**

C'était pendant les vacances d'été et j'avais le projet de rencontrer mes copains pour aller en ville et traîner dans une grande surface. C'est à ce moment-là que mon père a reçu mes résultats scolaires – j'avais échoué en français et en biologie.

Il m'a grondé et **nous avons eu** une grande querelle. Au bout de quinze minutes, **je lui ai dit qu'il m'avait agacée** et je suis sortie. J'ai dit : « Je m'en fiche ! »

Maintenant, après tout, je le regrette parce que, en général, j'ai de bons rapports avec mes parents. Je comprends que tout ce qu'**ils veulent, c'est que je fasse de mon mieux** pour avoir de bonnes notes au bac.

Paul

Translation

Dear Diary,

Yes, <u>I remember</u> when I lost my cool with my father <u>a few years ago</u>.

It was during the summer holidays and I had plans to meet my friends to go into town to do some window shopping. It was then that my father got my school results – I had failed French and Biology.

He gave out to me and <u>we had</u> a big row. After 15 minutes, <u>I told him that he had annoyed me</u> and I went out. I said "I don't care!"

Now, after all, I am sorry about it because, in general, I have a good relationship with my parents. I understand that <u>they only want me to do my best</u> so that I get good marks in the Leaving Cert.

Paul

Sample question

After a night on the town, you realise that you spent too much. You think that everything is too dear.

Sample answer

Cher Journal intime,

Quelques lignes pour te donner de mes nouvelles. Qui a dit que la vie est belle ? Elle ne l'est pas pour moi. Je suis sortie avec mes amies **pour prendre un pot** avec elles. Au début de la soirée, **tout a bien marché**. Je me suis bien amusée.

En fait, j'ai rencontré un beau mec et **j'ai pris rendez-vous avec lui pour** samedi prochain. Malheureusement, j'ai trop **dépensé**. Que je suis bête ! Je pense que la nourriture et l'alcool sont trop chers ici en Irlande. Je suis complètement fauchée. **Je n'arrive pas à le croire !**

J'ai téléphoné à mon amie Anne pour lui demander de me donner de l'argent pour mon rendez-vous de samedi, mais **il n'y avait personne** chez elle. Ma mère m'a conseillé de mieux contrôler mes dépenses. Bien entendu, elle a raison.

Maintenant, je me sens **vachement** déprimée. Je vais devoir rester à la maison, sans argent, sans animation. Deux mots **résument** la situation : angoisse et frustration. Les choses coûtent trop cher en Irlande. C'est affreux.

Je me sens épuisée. Je vais me coucher.

À demain,
Katherine

Translation

Dear Diary,

A few lines to give you my news. Who said that life is lovely? It isn't for me. I went out with my friends <u>for a drink</u> together. At the beginning of the evening, <u>everything worked out fine</u>. I had a great time.

In fact, I met a great guy and <u>I arranged to meet him</u> next Saturday. Unfortunately, I <u>spent</u> too much money. How stupid I am! I think food and drink are too dear here in Ireland. I'm completely broke. <u>I can't believe it!</u>

I phoned my friend Ann to ask her to give me some money for my date next Saturday, but <u>there was no one</u> at home. My mother advised me to control my expenses better. Of course, she's right.

Now, I feel <u>really</u> depressed. I'll have to stay at home, without money, without any fun. Two words <u>sum up</u> the situation: anxiety and frustration. Things are too expensive in Ireland. It's terrible.

I feel exhausted. I'm going to bed.

Until tomorrow,

Katherine

Sample question

Vous vous êtes disputé(e) avec votre meilleur(e) ami(e).

Sample answer 1

> Cher Journal,
>
> Quelle nuit ! Je ne l'oublierai jamais. Cette soirée, qui **aurait dû être** chouette, est devenue un vrai cauchemar. Je **viens de me disputer** avec ma meilleure amie. Je suis si déprimée.
>
> Aujourd'hui, c'était l'anniversaire de Sandra. Elle a organisé une fête chez elle, à neuf heures. Malheureusement, j'ai raté l'autobus et je suis arrivée très tard le soir.
>
> **En y arrivant**, j'ai vu qu'elle était agacée. J'ai essayé de lui expliquer, mais elle m'a dit qu'elle ne voulait pas m'écouter, qu'elle en **avait marre de** mes excuses !
>
> **Que j'étais fâchée** ! Je suis partie de sa maison tout de suite. J'ai dû rentrer chez moi à pied, et **pour comble de malheur**, il pleuvait à verse ! J'ai été mouillée jusqu'aux os !
>
> J'espère que demain sera une meilleure journée. **La nuit porte conseil**. Je suis crevée, donc, **je ferais mieux de** me coucher.
>
> À demain,
> Katie

Translation

Dear Diary,

What a night! I'll never forget it. This evening, which <u>should have been</u> great, was a real nightmare. I've just had a row with my best friend. I'm so depressed.

Today was Sandra's birthday. She arranged a party at her house at 9 o'clock. Unfortunately, I missed the bus and arrived late in the evening.

<u>On arriving there</u>, I saw that she was annoyed. I tried to explain to her, but she told me that she didn't want to listen to me, that she <u>was fed up with</u> my excuses!

<u>I was so angry</u>! I left her house at once. I had to walk home, and <u>to cap it all</u>, it was pouring with rain. I was soaked to the skin!

I hope that tomorrow will be a better day. <u>Let's sleep on it</u>. I'm exhausted, so it <u>would be better to</u> go to bed.

Until tomorrow,
Katie

Sample answer 2

Cher Journal,

Quel culot ! Je viens de me disputer avec ma meilleure amie, Susan. Elle **m'a dit** que **nous irions** en ville ensemble.

> 'there': try to use pronouns. They impress!

> Note the indirect speech: 'she said that we would go …' – 'passé composé' followed by conditional.

Nous avons prévu d'**y** aller demain, mais aujourd'hui, j'ai appris qu'elle **avait** déjà **décidé** de passer la journée avec son petit ami, sans me le dire !

> Pluperfect tense: 'I learned that she had decided'.

> A very useful phrase for any written topic: 'should have told'. Three verbs in a row is a tricky bit of grammar, literally 'would have (aurait) had to (dû) tell (informer)'.'Devoir' is always followed by an infinitive.

Ce qui m'agace, c'est que son frère **aurait dû m'informer** parce que Susan m'aurait dit demain ! Elle m'énerve.

> After 'peut-être' at the start of a sentence, use 'que'.

Peut-être que nous pourrions faire quelque chose le lendemain, mais elle est vachement têtue ! Je me demande si je lui enverrai un texto. Est-ce que je **lui** dirai qu'elle a tort ?

> Use 'lui' because 'dire' takes 'à', therefore 'to her' – lui.

*C'est casse pieds parce que je ne sais pas comment elle va réagir si je **la** gronde.*

> Use 'la' because 'to' in 'to give out to' is already in the verb 'gronder', therefore 'her' – *la*.

Comme d'habitude, elle n'avouera pas que j'ai raison. Quel cauchemar !
*Maintenant **il faut que j'aille** me coucher.*

> Subjunctive 'aille' after 'il faut que' (*it is necessary that*).

Translation

Dear Diary,

What a cheek! I've just had an argument with my best friend, Susan. <u>She told me that we would</u> go into town together.

We planned to go there tomorrow, but today, I learned that she <u>had</u> already <u>decided</u> to spend the day with her boyfriend, without telling me!

What annoys me is that her brother <u>should have let me know</u> because Susan would have told me tomorrow. She infuriates me!

<u>Perhaps we could</u> do something the following day, but she is really stubborn! Maybe I'll send her a text. Will I tell <u>her</u> that she's wrong?

It's a nuisance because I don't know how she'll react if I give out to <u>her</u>.

As usual, she won't admit that I'm right. What a nightmare! <u>I'll have to</u> go to bed now.

Leaving Cert 2018
Question 2 (a)

Aujourd'hui tous les écoles, les bureaux et les entreprises étaient fermés à cause de la neige. Ils seront aussi fermés demain.

Ce soir, qu'est-ce que vous notez à ce sujet dans votre journal intime ?

(75 mots environ)

Sample answer 1

> Qu'est-ce que je suis heureuse ! Devine ce qui vient d'arriver ! J'ai entendu les nouvelles ce matin. À cause d'une grande tempête de neige pendant la nuit, il est trop dangereux de conduire sur les routes. Mes parents viennent de me dire que toutes les écoles sont fermées aujourd'hui, et elles seront fermées demain aussi. Il faut rester à la maison.
>
> À vrai dire, je ne suis pas déçue que les cours aient été annulés. Je n'ai pas étudié pour mon épreuve orale en gaélique qui allait avoir lieu aujourd'hui. Quel soulagement ! La neige me plaît tellement. Je suis très contente aussi parce que je n'ai pas fait mes devoirs et je ne suis pas prête à rentrer à l'école. Tout le monde dans notre lotissement est sorti jouer dans la neige.
>
> Je vais mettre mes vêtements d'hiver. Je sortirai rencontrer mes amies. J'essayerai de construire un grand bonhomme de neige. J'ai hâte d'y aller. Ce sera une journée inoubliable.

Translation

I'm so happy! Guess <u>what's just happened</u>? I heard the news this morning. Because of a huge snowfall during the night, it is too dangerous to drive on the roads. My parents have just told me that all the schools are closed today, and they will be closed tomorrow as well. We have to stay at home.

<u>To tell the truth</u>, I'm not disappointed that classes have been cancelled. I didn't study for my Irish oral exam <u>which was going to take place</u> today. What a relief! <u>I love the snow so much</u>. I'm very happy also because I haven't done my homework and I'm not ready to go back to school. Everyone in our <u>estate</u> has gone out to play in the snow.

I'll put on my winter clothes. I'll go out and meet my friends. I'll try to build a large snowman. <u>I'm dying to go</u>. It'll be an unforgettable day.

Sample answer 2

Je viens de passer la pire journée de ma vie. Ce jour restera à jamais gravé sur ma mémoire. Je ne l'oublierai jamais. Tu ne croiras pas ce qui m'est arrivé. Il y a eu une énorme chute de neige qui a duré la nuit entière. Aujourd'hui, tous les établissements scolaires sont fermés pour deux ou trois jours. Tu imagines ? Pas d'école. Mais je t'assure que je ferai mes études aujourd'hui.

Attends ! J'ai laissé tous mes livres dans mon casier à l'école. Tout est fermé aujourd'hui y compris les entreprises et les magasins. Mes amis sautent de joie, mais pas moi. L'électricité est coupée. Je ne peux pas charger mon portable; la télé ne marche pas, et pour couronner le tout, mes parents ne peuvent pas cuisiner. Donc, je ne peux pas profiter du temps libre sans mes livres ou la télé. Nous n'avons pas de pain non plus.

J'espère que ce temps va s'améliorer bientôt. Bon alors, je suis épuisée et je vais lire un roman.

Translation

I've just spent the worst day of my life. This day will be forever engraved on my memory. I'll never forget it. You won't believe what happened to me. There was a huge snowfall which lasted all night. Today, all the schools are closed for two or three days. Can you imagine? No school. But I guarantee you that I will study today.

Hold on a minute! I've left all my books in my locker in school. Everywhere is closed today including businesses and shops. All my friends are jumping with joy, but not me. The electricity is cut off. I can't charge up my phone; the telly doesn't work, and to cap it all, my parents can't cook. So, I can't take advantage of the free time without my books or the television. We don't have any bread either.

I hope that this weather will improve soon. Well, I'm exhausted and I'm going to read a book.

Informal letter or email

This section of the written paper is not as difficult as the reaction and opinion questions because the vocabulary does **not** have to be **specialised** and because you are **given the points** to talk about.

- An informal letter or email usually consists of **reported speech**, such as 'He said that …', 'They asked whether …', etc.
- An informal letter or email is often written by a student from abroad staying with you, or when you are staying with a French family.
- An informal letter or email is **short** and to the point. Keep to the points in the question. Use all the guidelines that you are given.
- Very often, the informal letter or email deals with:
  (a) an apology for cancelling an appointment
  (b) arranging to collect people or organising an exchange
  (c) to say that someone dropped in, but the host was not there.

How are we meant to know all the vocabulary?

- Through practice.
- Reading and studying old examples of 'le mot'.
- Similar vocabulary comes up regularly.

exam TIPS

1   **Practise writing notes** using typical vocabulary for any situation. **Brainstorming** is good exercise for all parts of the Written Expression section, i.e. to select a theme or form complex structured sentences.

2   Jot down all the ideas / vocabulary / verbs that may be required to answer the question, then compose the answer. (Ask your teacher to correct it.)

3   You should equip yourself with several **expressions**, such as:
Je te laisse ce mot …   *I'm leaving you this note …*
pour te faire savoir / dire que …   *to let you know / tell you that …*
Elle n'arrivera pas avant 8h.   *She won't get here before 8 o'clock.*
j'espère   *I hope*
il doit   *he has to*

elle va   *she's going*

nous voulons   *we want*

on peut   *one / we can*

Je ne sais pas si ...   *I don't know if ...*

Elles ont dit qu'ils ne reviendraient pas vendredi.   *They said that they would not be returning on Friday.*

Voulez-vous leur donner un coup de fil ?   *Will you give them a call?*

Elle se demandait si ...   *She was wondering whether ...*

Informal letter or email translation exercises

Translation exercise 1

You are working as an au pair for a Belgian family in Brussels. One afternoon, a newly acquired friend from the vicinity calls at your house and invites you to go window shopping in the old city. After finishing your chores, you go out with your friend, leaving the following note:

- tell your host family that a friend dropped in and asked you to go into town with her
- tell them exactly where you will be and when you will return
- let them know that you have already peeled the vegetables and watered the house plants and that you have tidied the children's bedroom and hoovered the floor
- tell them not to worry, that you will come home with your friend.

Translate the English in *italicised* type.

Madame,

(i) I'm leaving you this note to let you know that I have gone out with a friend. She is Annette, who lives in the apartment block across the road. She dropped in earlier and invited me to go window shopping with her this afternoon.

On va faire du lèche-vitrine en ville, et après cela, Annette et moi allons visiter la vieille ville.

J'ai déjà épluché les légumes pour le dîner, et j'ai arrosé les fleurs pendant votre absence. J'ai aussi rangé la chambre des enfants et j'ai passé l'aspirateur dans le séjour.

(ii) Don't worry. I'll be back at around 7 o'clock this evening. I'll be returning with Annette.

Eileen

Sample answer

(i) Je vous laisse ce mot pour vous faire savoir que je suis sortie avec une copine. C'est Annette, qui habite l'immeuble de l'autre côté de la rue. Elle est passé ici plus tôt et m'a invitée à faire du lèche-vitrine avec elle cet après-midi.

(ii) Ne vous inquiétez pas. Je vais rentrer vers sept heures ce soir. Je vais revenir avec Annette.

Translation exercise 2

Translate this sample answer.

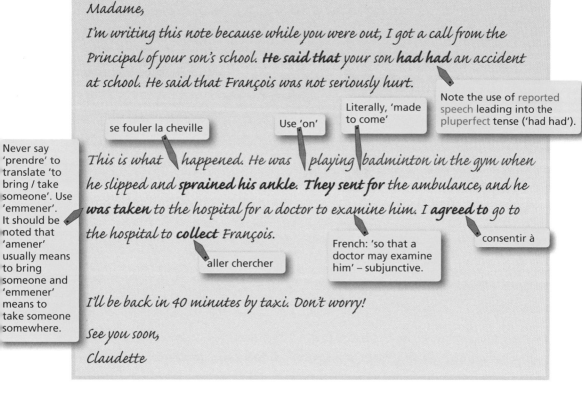

Madame,

I'm writing this note because while you were out, I got a call from the Principal of your son's school. **He said that** your son **had had** an accident at school. He said that François was not seriously hurt.

Note the use of reported speech leading into the pluperfect tense ('had had').

se fouler la cheville

Use 'on'

Literally, 'made to come'

This is what happened. He was playing badminton in the gym when he slipped and **sprained his ankle. They sent for** the ambulance, and he **was taken** to the hospital for a doctor to examine him. **I agreed to** go to the hospital to **collect** François.

aller chercher

French: 'so that a doctor may examine him' – subjunctive.

consentir à

Never say 'prendre' to translate 'to bring / take someone'. Use 'emmener'. It should be noted that 'amener' usually means to bring someone and 'emmener' means to take someone somewhere.

I'll be back in 40 minutes by taxi. Don't worry!

See you soon,
Claudette

Sample answer

Madame,

J'écris ce mot parce que, pendant votre absence, j'ai reçu un coup de téléphone du directeur de l'école de votre fils. Il a dit que votre fils avait eu un accident à l'école. Il m'a dit que François n'était pas grièvement blessé.

Voici ce qui s'est passé. Il jouait au badminton dans le gymnase, quand il a glissé et s'est foulé la cheville. On a fait venir l'ambulance, et il a été emmené à l'hôpital pour qu'un médecin l'examine. J'accepté d'aller chercher François à l'hôpital.

Je serai de retour dans quarante minutes en taxi. Ne vous inquiétez pas !

À plus tard.

Translation exercise 3

Translate this sample answer.

Dear Anna,

While you were out, one of your friends, Michel, phoned. I'm leaving you this message to tell you what he said. He told me that it was impossible for him to come to your house tonight.

attendre

He explained that he was **expecting** a few Belgian friends at ten o'clock at his house. Furthermore, he has to collect them at the airport. Their plane **lands** at six o'clock. Later, they're eating **with the family**.

en famille   *se demander*   *atterrir (la terre – land, ground)*

After eating, they're going to a nightclub. He was **wondering** whether you would like to go with them to the nightclub. Give him a call as soon as you return home.

I have to leave now to meet my friends.

See you tomorrow,

Barbara

Sample answer

Chère Anna,

Pendant ton absence, un de tes amis, Michel, a téléphoné. Je te laisse ce message pour te dire ce qu'il a dit. Il m'a dit qu'il lui était impossible de venir chez toi ce soir.

Il a expliqué qu'il attendait quelques amis belges à vingt-deux heures chez lui. En plus, il doit les chercher à l'aéroport. Leur avion atterrit à dix-huit heures. Plus tard, ils dînent en famille.

Après avoir dîné, ils vont en boîte. Il se demandait si tu voudrais les accompagner en boîte. Donne-lui un coup de fil aussitôt que tu reviendras à la maison.

Maintenant je dois partir pour rejoindre mes copines.

À demain,
Barbara

Translation exercise 4

Translate the following into French.

> **While you were out** this afternoon, **a friend of mine** from school in Ireland called in. I had given him your address **before I left** Dublin.
>
> [pendant que vous étiez sorti / pendant votre absence]
> [un de mes amis – 'a friend of mine' (not un ami de moi)]
>
> His name is Brian and **he's just passing** through Bordeaux on his way to Perpignan for the grape-picking season.
>
> [il ne fait que passer]
> [Subjunctive because of 'avant que'.]
> [les vendanges: used to mean 'harvesting the grapes']
> [Use 'prendre'.]
>
> He's leaving late this evening. He's **getting** the 22.00 train. Brian wanted to know if I could go with him to tour the old city. He told me that **he had already seen** the tourist attractions such as the historical monuments and the city centre. **I said I would.**
>
> [Reported speech: 'that he had … seen.']
> [j'ai dit que oui]
>
> I have to go out with him now. I intend to be back by 20.00. **I won't require** an evening meal; I'm going **to get something to eat** with Brian.
>
> [Use 'falloir': il me faudra (I need, require)]
> [Say 'acheter de quoi manger'.]
>
> I hope **that doesn't put you out.**
>
> [cela ne vous gêne pas / ne vous dérange pas]
>
> See you later,
> Sean

Sample answer

Pendant que vous étiez sorti cet après-midi, *un de mes amis* d'école en Irlande est passé par ici. Je lui avais donné votre adresse *avant de quitter* (or: avant mon départ de) Dublin. Il s'appelle Brian et *il ne fait que passer* par Bordeaux en route vers Perpignan pour les vendanges.

Il part tard ce soir. Il *prend* le train de vingt-deux heures. Brian voulait savoir si je pourrais aller avec lui faire le tour de la vieille ville. Il m'a dit qu'*il avait déjà vu* les attractions touristiques telles que les monuments historiques et le centre-ville. *J'ai dit que oui.*

Je dois sortir avec lui maintenant. Je compte être de retour avant vingt heures. *Il ne me faudra pas* de repas du soir ; je vais acheter de quoi manger avec Brian. J'espère que *ça ne vous dérangera pas.*

À plus tard,
Sean

Translation exercise 5

You are due to be host to a Luxembourg student. However, a problem has just arisen. Send him / her an email to explain the situation:

- there was a fire in your house and the guest room was badly damaged
- your guest cannot stay with you, but you have arranged for him / her to stay at a relative's house
- he / she can still come and eat meals with you and enjoy the activities already planned
- apologise for the inconvenience and send best wishes to his / her family.

Translate the English in *italics* into French.

Cher Paul / Chère Isabelle,

(i) *I'm sending you this email to let you know that I have to change the arrangements for your stay with me in June.* C'est à cause d'un problème qui s'est produit il y a deux jours. (ii) *There was a fire in our guest room. It destroyed the bookshelves and the bed.* Donc, il n'est pas pratique que tu séjournes chez nous ; il n'y a pas de place.

En revanche, tu peux loger chez mon cousin qui a un appartement près d'ici. (iii) *Don't worry! You can come to our house for your meals every day. Furthermore, there will be lots of activities which I have already planned for the holiday. I hope to go for mountain walks in County Wicklow. We'll also go on trips to the south of Ireland.* Ça te dit de visiter Belfast pour une journée ?

Je m'excuse de te déranger. Dis bonjour à tes parents. Écris-moi pour me dire ce que tu penses de ces nouveaux préparatifs.

Au plaisir de te lire,
Margaret / Mark

Answers

(i) Je t'envoie ce mail pour te faire savoir que je dois changer les préparatifs pour ton séjour chez moi en juin.

(ii) Il y a eu un incendie dans notre chambre d'amis. Il a détruit les étagères et le lit.

(iii) Ne t'inquiète pas ! Tu peux venir chez nous pour tes repas tous les jours. En plus, il y aura pas mal d'activités que j'ai déjà préparées pour le séjour. J'espère faire des randonnées dans le comté de Wicklow. Nous allons faire des excursions dans le sud de l'Irlande.

Translation exercise 6

Translate the English *italics* into French.

Dominique is a French girl who is working as an au pair for a family who live near you. You go to the house where she works but there is nobody in. Leave a note in French for Dominique saying that:

- you are going to the beach tomorrow with your family
- you would like her to come with you
- you will pick her up at 11 a.m.
- she should bring swimwear
- she should tell the family she works for that she will have dinner tomorrow with your family.

Chère Dominique,

Je (i) *dropped by but there was nobody at home.* Je laisse ce mot pour te dire que ma famille et moi (ii) *are heading off* (use 'partir') à la plage demain. (iii) *I was wondering whether you'd like to join us.* Puisque ce sera jeudi, et pas le weekend, il y aura beaucoup moins de monde. Nous voudrions (iv) *pick you up at around* onze heures. (v) *Does that suit you?*

Je propose que tu apportes un maillot de bain. (vi) *The weather forecast is great.* On compte se baigner dans la mer. Mes parents aimeraient que tu dînes chez nous demain soir. Veux-tu informer la famille pour qui tu travailles que tu (vii) *will be home by 11.30 p.m.?*

Si tout cela te convient, téléphone-moi ce soir.

À demain,
André

Answers
  (i) Suis passé mais il n'y avait personne à la maison
 (ii) Partons
(iii) Je me demandais si tu aimerais nous accompagner.
(iv) Te chercher vers
 (v) Cela te convient-il ?
(vi) La météo est formidable.
(vii) Seras de retour / rentreras à la maison avant vingt-trois heures trente ?

Translation exercise 7

Translate the English *italics* into French.

During a two-week stay in a *lycée* in France, you make friends with André, who is absent on your last day in school. Leave a note in French for him with one of his friends. In it:

- thank him for his help during your stay
- ask him to pick up your Biology homework at the next class
- tell him that you will send him some of the photographs you took
- ask him to give your regards to his sister, Isabelle.

Cher André,

(i) *Just a short note to thank you for everything you did for me.* Il est dommage que tu sois absent le jour de mon départ. J'espère que tu n'es pas malade. (ii) *You took an interest in my studies and helped me a lot, especially in Biology.* Je suis nul(le) en biologie, c'est trop dur ! Je me demandais si tu pourrais ramasser mes devoirs de biologie lors du prochain cours demain. (iii) *The teacher hadn't corrected them.* (iv) *I'd like to know my mark.*

(v) *As soon as I return home, I'll send you some photos that I took.* Donne mon bon souvenir à ta sœur Carol. Elle est très gentille. (vi) *I look forward to seeing you in Ireland next year.*

Good luck.

Answers

 (i) Juste un petit mot pour te remercier pour tout ce que tu as fait pour moi.
 (ii) Tu t'es intéressé à mes études et m'as beaucoup aideé(e), surtout en biologie.
(iii) Le prof ne les avait pas corrigés.
 (iv) Je voudrais savoir ma note.
 (v) Dès que je rentrerai chez moi, je t'enverrai des photos que j'ai prises.
 (vi) J'ai hâte de te voir en Irlande l'année prochaine.

Informal letter or email sample answers

A telephone call

You are staying with a French family. One day, you are alone and receive a telephone call from their son Jacques. You leave a note.

Sample answer

> Salut,
>
> Votre fils, Jacques, a téléphoné à dix heures. Il a dit que, alors qu'il était en route depuis Perpignan, sa voiture <u>est tombée en panne</u>. Il a contacté <u>le service de dépannage</u> et son auto <u>a été prise en remorque</u> jusqu'au garage. Le mécanicien peut la réparer ce soir. Elle sera prête demain. Donc, il doit rester à Perpignan pour une nuit, et <u>n'arrivera pas chez lui</u> avant midi demain.
>
> Jacques m'a dit de vous informer qu'il a acheté le vin que vous aviez commandé. Il en a acheté six bouteilles. Je sors maintenant pour rejoindre mes copains au café. <u>Je serai de retour</u> à 19 heures. Ne vous inquiétez pas.
>
> À tout à l'heure.

Translation

Hi,

Your son Jacques phoned at 10 o'clock. He said that, on the way from Perpignan, his car <u>broke down</u>. He contacted <u>the breakdown service</u> and his car <u>was towed away</u> to the garage. The mechanic can fix it this evening. It will be ready tomorrow. So he has to stay in Perpignan for one night and <u>won't get home</u> before midday tomorrow.

Jacques told me to tell you that he bought the wine that you had ordered. He bought six bottles. I'm going out now <u>to join</u> my friends at the café. <u>I'll be back</u> at 7 o'clock. Don't worry.

See you soon.

The repair man

You are on holiday with the Vachon family. You are alone in the house when someone rings the doorbell. It is a man who says that he has come to repair the television. As you do not know him, you do not wish to let him in. You leave a note for Monsieur and Madame Vachon.

Sample answer

J'écris ce mot pour vous informer de la chose suivante : j'étais seul(e) à la maison quand on a sonné à la porte. C'était un monsieur **qui a dit qu'il était venu** réparer la télévision. Il est passé à 15 heures 30.

> 'who said that he had come': this is reported speech. It means that after the 'passé composé' 'said', the next verb 'had come' goes into the pluperfect tense.

> I didn't let him in

Il s'appelait M. Lattes. **Je ne l'ai pas laissé entrer** parce que je ne le connaissais pas. Il a dit qu'il reviendrait à 16 heures 30, et s'il n'y avait eu personne à cette heure-là, pourriez-vous **prendre un nouveau rendez-vous** avant 18 heures ce soir ?

> to make another appointment

Téléphonez au magasin qui s'appelle « Les Nouvelles ». **Je m'en vais rejoindre mes amis** à la piscine.

> I'm going off …

> … to meet my friends.

Translation

I'm writing this note to let you know about the following: I was alone in the house when someone rang at the door. It was a gentleman who said that he had come to repair the television. He called at 3.30.

His name was M. Lattes. I didn't let him in because I didn't know him. He said that he would be back at 4.30, and if there was nobody here at that time, could you make another appointment before 6 o'clock this evening?

Phone the shop called 'Les Nouvelles'. I'm going off to join my friends at the pool.

From the language point of view, there are certain **expressions** that are fairly **predictable**.

1 The start of a note nearly always opens with:
Je vous écris ...   *I am writing ...*
Je vous laisse ce mot ...   *I am leaving this note ...*
('Écris' and 'laisse' include the word 'am', as in 'I am writing, I am leaving this note')
pour vous faire savoir / vous annoncer / vous informer ...   *to let you know*

2 'Someone knocked / rang at the door / phoned' are often included in a note. It is better to use '**on**' if you don't know the identity of the caller: 'on a frappé / on a sonné / on a téléphoné.'

3 Watch your **tenses**; they can alter grades! 'J'étais, il s'appelait, je connaissais, il y avait' all describe incomplete actions that **were still going on** and so are **imperfect** tense actions. On the other hand, 'il a dit, il est passé, j'ai laissé' are complete or finished actions and so are expressed using the '**passé composé**'.

4 Always try to include **unusual expressions** that most students would not generally use. These phrases stand out in your work. For example:
pour vous faire savoir   *to let you know*
je m'en vais maintenant   *I'm off now*
rejoindre mes amis   *to meet / join my friends*

5 Restrict yourself to fairly **short sentences** that you are sure are correct. Avoid long sentences, which allow more opportunities to make mistakes.

6 Pay close attention to each sentence that you write. Look out for **tenses**, **verbs**, **adjectives** and **agreements of past participles**.

Department of Education sample paper: The camping site

You and some friends are going on a holiday to France in a few days' time. You intend spending a few nights at a camping site in Le Havre, where your friend Jean(ne) lives with his / her family. Write the message in French you will send him / her by informal letter or email, saying:

- that you and your friends will camp for a few nights in Le Havre
- when you will arrive in Le Havre and how long you will stay there
- that you would like to meet him / her in a café or nightclub
- that you and your friends would like it very much if he / she could come with you on a trip to Paris
- that you will contact him / her again as soon as you reach Le Havre.

Sample answer

A useful opening is: Je t'envoie ce message par email (*I'm sending you this message by email*).

Chère Jeanne,

Je t'envoie ce message par email pour te faire savoir que **quelques amies et moi avons l'intention** de venir en vacances en France.

'Quelques amies et moi avons l'intention…' Don't fall into the trap of writing the third person plural after 'mes amies et moi …'; use the 'nous' form.

'le 5 de ce mois': simply 'the 5th of this month' (the current month).

On partira samedi prochain, **le 5 de ce mois**. **En y arrivant**, on passera trois nuits au Havre dans un camping municipal.

Using 'y' will impress. You cannot keep repeating the place that you are going to. Instead, say that you 'are going there – on **y** va'.

The present participle also impresses. Instead of saying 'When we arrive in …', it means 'On arriving in …'

Another friendly approach in a letter or message is: 'How about doing …? What about going …?' In French, it is 'si' plus the 'imparfait': Si on allait au cinéma ? Si on jouait au tennis ?

Si on se retrouv**ait** dans un café ou une boîte pour prendre un pot ?

It is very French to use the highly useful 'on' to mean 'we' with the third person singular: 'On y va. On passera. Si on se retrouvait ?' (*We're going there. We'll drop in. Shall we meet up ?*)

When you want / would like someone else to do something, use the 'subjonctif' : 'Mes copines et moi voudrions que tu viennes …'

Mes copines et moi voudrions **que tu viennes** avec nous pour faire une excursion à Paris. Je passerai chez toi **aussitôt que nous arriverons** au Havre.

À samedi.
Julie

The 'futur simple' in the main clause plus 'aussitôt que / dès que' leads into the logical future: 'I will call in on you as soon as we arrive in Le Havre.'

Translation

Dear Jeanne,

I'm sending you this email to let you know that a few friends and I intend to come on holiday to France. We will leave next Saturday, on the 5th of this month. On arriving there, we'll spend three nights in Le Havre at a public campsite.

What about meeting up in a café or a nightclub for a drink? My friends and I would like you to come with us on a trip to Paris. I'll drop in on you as soon as we arrive in Le Havre.

See you on Saturday.
Julie

Returning someone's things

On the way home from your holidays in Arcachon in the south-west of France, you call in on your friend Jean-Louis / Françoise in Nantes to give back the things which he / she left in your house when he / she was on holiday in Ireland a month before. Leave a note for him / her, saying:

- you dropped by to return the things that he / she forgot to bring home from Ireland
- as you were in a hurry, you could not wait for his / her arrival
- you met the next-door neighbour, who was very obliging and agreed to keep the things for your friend
- you were on holiday in Arcachon and had a wonderful time
- you will write to him / her soon about your holiday.

Sample answer

> The verb 'rendre' here means 'to give back' or 'return'.

Salut Françoise,

Je suis passé chez toi aujourd'hui, en revenant de mes vacances, pour te **rendre** les affaires que tu avais **laissées** chez moi quand tu **m'as rendu visite** en Irlande le mois dernier.

> Note the agreement of 'laissées' because the direct object 'affaires' comes before the verb 'avoir'.

> When visiting a person, use 'rendre visite à'; when visiting a place, use 'visiter': 'Je vais rendre visite à mon oncle. Je vais visiter La Villette.'

Il s'agit d'un réveil, d'un sac à dos, d'un ouvre-boîte et un cadeau que ta correspondante **t'avait donné**, c'est-à-dire, le chandail d'Aran, ton tricot très lourd en laine irlandaise. Il est formidable !

> Do not make the verb ending agree with the pronoun directly before it if that pronoun is an object, and not the subject; e.g. Mes parents / ils nous donnent. In this example, 'nous' actually means 'to us' and not 'we'.

Malheureusement, il n'y avait personne quand je suis passé. Cependant, j'ai rencontré ta voisine, et elle m'a dit qu'elle garderait tes affaires pour toi. C'était très aimable de sa part.

Je viens de passer un très bon séjour à Arcachon. Je me suis bien amusé. J'écrirai plus tard pour te raconter mes vacances.

Pierre

Translation

Hi Françoise,

I dropped in on you today on the way back from my holiday to give you back the things you had left in my house when you visited me in Ireland last month. They include an alarm clock, a rucksack, a can opener and a present which your penfriend had given you, i.e. the Aran sweater, your heavy jumper made of Irish wool. It's brilliant!

Unfortunately, there was nobody there when I called in. However, I met your neighbour, and she told me that she would keep your things for you. It was very nice of her.

I've just had a very good holiday in Arcachon. I enjoyed myself. I'll write later to tell you about my holiday.

Pierre

The angry girlfriend

You are staying with your Belgian cousin, Serge. One afternoon, you are alone in the house. Just as you are about to go out, the phone rings. Take the following message for Serge:

- Nicola phoned to express her anger with Serge
- he was supposed to meet her yesterday in front of the library
- she waited for two hours before going to Caroline's house
- she said that Serge ought to ring to apologise and explain what happened
- you are going out now and will see Serge later.

Sample answer

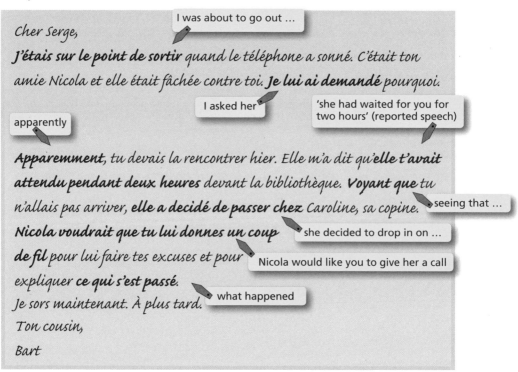

Translation

Dear Serge,

I was about to go out when the telephone rang. It was your friend Nicola and she was angry with you. I asked her why.

Apparently you were due to meet her yesterday. She told me she had waited for you in front of the library for two hours. Seeing that you were not going to come, she decided to drop in on Caroline, her friend. Nicola would like you to give her a call to apologise and explain what happened.

I am going out now. See you later.

Your cousin,

Bart

Suggesting a change

Before you sit your Leaving Cert, the Principal asks you to note down three changes that you would like to make to the school, with a little explanation for each one.

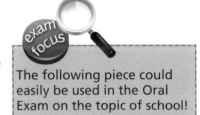

exam focus

The following piece could easily be used in the Oral Exam on the topic of school!

Sample answer

En premier lieu, je **propose** une semaine plus courte. À mon avis, **les horaires** sont trop chargés et les étudiants sont toujours épuisé**s**. Il y a beaucoup de pression sur les étudiants pour aller aux cours et **beaucoup** étudier le soir.

Deuxièmement, je **mettrais plus d'accent** sur le développement social que sur la réussite intellectuel**le**. Il y a trop de pression sur les ados pour avoir de bonnes notes mais on n'apprend pas à être heureux. C'est important d'avoir des amis et de **savoir** se détendre.

Il y a autre chose que je voudrais voir ici. C'est plus de terrains de sport. Je crois que cette école a besoin de plus de sports. **Depuis** des années, je **demande** à mes parents de me conduire à un centre sportif dans une autre ville. Si nous avions plus de terrains de sport, plus d'élèves feraient du sport.

Translation

In the first place, <u>I suggest</u> a shorter week. In my view, <u>the timetables</u> are too full and the students are always exhausted. There is a lot of pressure on the students to go to classes and to do <u>a lot of</u> study in the evenings.

key point

PAY ATTENTION TO:

- The agreement of adjectives and past participles (e.g. 'épuisés'). These are highlighted in red.

- The use of 'depuis' + present tense: 'I have been asking for'.

Secondly, I <u>would put more emphasis</u> on social development than on intellectual achievement. There is too much pressure on teenagers to get good marks, but we don't learn how to be happy. It's important to have friends and <u>to know how</u> to relax.

There is another thing that I would like to see here. That is, more sports grounds. I think that this school needs more sport. <u>For years, I</u> <u>have been asking</u> my parents to drive me to a sports centre in another town. If we had more sports grounds, more pupils would do sport.

Leaving Cert 2017
Question 2 (b)

Votre amie française Nadine vous a envoyé le courrier électronique suivant :

« J'ai fait mon choix de carrière : après le bac, je vais étudier le commerce. Je sais que toi, tu as aussi décidé récemment ce que tu vas faire à l'avenir.

(i) Quelle carrière as-tu choisie, et pour quelle raison ?

(ii) Comment est-ce que le conseiller d'orientation dans ton école t'a aidé(e) ?

(iii) Qu'est-ce que tes parents pensent de ton choix ?

(iv) As-tu l'intention de rester en Irlande après avoir fini tes études ? »

Écrivez un mél en réponse.

Sample answer

Chère Nadine,

Merci de ton mél que je viens de lire. Je suis content que tu aies fait (subjunctive) ta décision en ce qui concerne ton avenir. Tu es sans doute fort en maths. Ça fait une grande partie du commerce, **n'est-ce pas** ?

Tu as raison. J'ai décidé mon choix. Je vais faire les études vétérinaires. **La raison pour laquelle** j'ai choisi ce diplôme, c'est que **ça me fait grand plaisir de travailler** avec les animaux. Je m'occupe de nos animaux domestiques chez nous. Les animaux nous aident à nous défouler.

Notre conseiller d'orientation était vraiment **serviable** et ses conseils étaient très utiles. Dans l'année de transition, elle m'a conseillé de trouver un travail à temps partiel chez un vétérinaire pour avoir de l'expérience et pour voir si je voudrais devenir vétérinaire. Le conseiller a aussi passé beaucoup de temps à discuter mes choix avec moi.

J'ai dit à mes parents **ce que** je voulais devenir. Ils étaient ravis de mon choix et fiers de moi. Cependant, ils s'inquiétaient des points nécessaires pour aller à la fac. Ils sont très hauts, mais je suis optimiste. J'ai hâte d'aller à l'université.

*Après avoir fini mes études, je compte rester en Irlande. Je ne veux pas émigrer parce que tous mes amis et toute ma famille habitent ici. De l'autre part, **il se peut que** j'aille (subjunctive) à l'étranger pour développer mes **compétences**. En tout cas, il y a assez de **débouchées** dans ce domaine en Irlande.*

C'est tout pour ce moment.

Eva

Translation

Dear Nadine,

Thank you for your email, which I have just read. I am happy that you made your decision regarding your future. No doubt you are good at Maths. That is a big part of commerce, <u>isn't it</u>?

You're right. I have decided on my choice. I am going to do veterinary studies. <u>The reason why</u> I have chosen this degree, is because <u>I really love working</u> with animals. I look after our pets at home. Animals help us to relax.

Our career guidance teacher was really <u>obliging</u> and her advice was very useful. In Transition Year, she advised me to find a part-time job in a vet's practice to get experience and to see if I would like to become a vet. The guidance teacher spent a lot of time discussing my options with me.

I told my parents <u>what</u> I wanted to become. They were delighted with my choice and [were] proud of me. However, they <u>were concerned about the</u> points required to go to college. They are very high, but I am optimistic. I can't wait to go to university.

After finishing my studies, I plan to stay in Ireland. I don't want to emigrate because all my friends and family live here. On the other hand, <u>it may be that I'll go</u> abroad to develop my <u>skills</u>. In any case, there are enough <u>openings</u> in this area in Ireland.

That's all for the moment.

Eva

Formal letter

Business correspondence

This is one area of the Higher Level paper where you can learn phrases by heart and be pretty sure of using them.

There is no shortage of good expressions that can be learned, practised and used in virtually any business letter.

The examiner is very strict about the layout of a formal letter, as is any company in the business world. Don't forget to include:

- Irlande / Ireland in your own address.
- the year in the date, e.g. Cork, le 7 mai, 2020.

First, the format has to be laid out:

- Name and address of sender on the left.
- City, date and year on the right.
- Name and address of receiver on the right.
- 'Messieurs', etc.
- Body of letter.
- Formal sign off.

Let's look at a good example of a formal letter.

Opposite is a basic letter from an Irish tourist who wishes to spend a week in France. He is writing to a hotel to book a room for his family.

Learn and use idiomatic French. This is much better than translating word for word.

Michael O'Neill
4 North Avenue,
Ennis,
Ireland / Irlande

> Note the layout of the letter, which is the reverse of the English style: the sender's address is written on the left-hand side in French.

Dublin, le 1er mars 2020

Hotel Marchais,
La Place d'Algérie,
Les Sables-d'Olonne,
France

> When the person to whom you are writing has a title, use it in the opening: Monsieur le directeur, Madame la présidente, Monsieur le chef du personnel, etc. There is no need to use 'Cher'.

Monsieur le directeur,

> With all formal letters use 'vous', the polite 'you'; 'tu' would be unacceptable and even disrespectful.

Je vous écris de la part de ma famille et moi. Nous sommes une famille irlandaise, et nous avons l'intention de passer nos vacances d'été en France. Nous comptons voyager le long de la côte ouest, et nous pensions séjourner dans votre hôtel. Un de mes collègues a recommandé votre hôtel.

Nous sommes cinq : mes parents, mes deux sœurs et moi. Nous espérons arriver chez vous le dix juin, et nous comptons rester jusqu'au dix-sept. Nous voudrions réserver en pension complète une chambre double, une chambre à deux lits et une chambre avec un lit, toutes les trois avec douche.

> Certain polite phrases can be incorporated into this type of letter: Je vous serais très reconnaissant(e) ... (*I would be very obliged to you* ...) de bien vouloir ... (*to be so good as* ...).

Nous vous serions très reconnaissants de bien vouloir nous envoyer une liste de choses à faire et à voir dans les environs des Sables-d'Olonne.

Est-ce qu'il y a des sites historiques et de beaux paysages ? Qu'y a-t-il comme divertissement dans votre hôtel ? Quelles installations y a-t-il pour les jeunes ? Y a-t-il une piscine ? Comment s'amuser le soir ? Est-ce qu'il y a des tarifs réduits pour les enfants ?

Veuillez trouver ci-jointes des arrhes de cinquante euros pour la réservation. J'espère vous lire par retour du courrier. J'ai hâte de vous rencontrer en juin.

Je vous prie d'agréer, Monsieur, l'expression de mes sentiments distingués.

Vocabulary

veuillez   *please (used only in written communication, not oral, as it is very formal; certainly not used between penpals)*
trouver ci-joint   *to find enclosed*
J'espère vous lire.   *I hope to hear from you.*
J'attends impatiemment / avec impatience …   *I look forward to …*
par retour du courrier   *by return of post*

Note the vocabulary relevant to making reservations:
la pension complète   *full board*
(verser) des arrhes   *(to pay a) deposit*
des tarifs réduits   *reduced prices*
séjourner / rester dans un hôtel   *to stay in a hotel*
des installations   *facilities (not* facilités)

key point

You can't use the word **'agréer'** from the sign-off to say that you 'agree' with someone. 'Agréer' is only used in letters to mean acceptance (NB: I agree with you – *je suis d'accord avec vous*).

Translation

Dear Sir,

I am writing to you on behalf of my family and myself. We are an Irish family and we intend to spend our summer holidays in France. We intend to travel along the west coast and we were thinking of staying in your hotel. One of my colleagues recommended your hotel.

There are five of us: my parents, my two sisters and I. We hope to arrive on the 10th June, and we intend to stay until the 17th. We'd like to book full board with one double room, a twin room and a single room, all three with shower.

We would be very obliged if you would be so kind as to send us a list of things to do and see in the area around Les Sables-d'Olonne.

Are there any historical sites and beautiful areas of countryside? What kind of entertainment is there in your hotel? What facilities are there for the young? Is there a swimming pool? What does one do for fun in the evenings? Are there price reductions for children?

Please find enclosed a deposit of 50 euros for the booking. I hope to hear from you by return of post. I look forward to meeting you in June.

Yours faithfully.

Formal letter translation exercises

Demande d'emploi (Job application) exercise

You are applying for a job as an assistant in a bookshop in Besançon. Include the following details:

- you wish to gain experience of working abroad and to improve your French language skills
- you have computer and word-processing skills
- you already have experience of this type of work
- tell the manager when you would be available for work
- ask him / her for details of the salary and hours of work
- ask whether they can cover the costs of moving to France.

Fill in the gaps

Wexford, le 9 mai 2020

Madame la Directrice,

(i) ... à votre annonce parue dans *Le Monde* du 8 courant, J'ai l'honneur (ii) ... poser ma candidature pour le poste de vendeur dans votre maison de la presse à Besançon.

Je me présente. Je m'appelle Paul O'Neill et j'ai dix-huit ans.

Le poste (iii) ... retenu mon attention parce que, (iv) ... longtemps, je compte travailler à l'étranger pour acquérir de l'expérience de (v) ... genre de travail et pour perfectionner ma connaissance du français. J'ai travaillé (vi) ... vendeur pendant six mois. Je sais utiliser un ordinateur et le traitement de texte.

Si vous voulez me convoquer pour un entretien, je me rendrai en France. Je (vii) ... disponible pour travailler à partir de la fin juin.

Je vous serais très (viii) ... de bien vouloir me donner quelques renseignements sur l'emploi. Quel sera mon salaire ? Est-ce que votre société (ix) ... me rembourser les frais (x) ... déménagement ?

Finalement, je joins ici mes lettres de recommandation. Veuillez m'(xi) ... un dossier de candidature.

Je vous prie d'agréer, Madame, l'expression de mes sentiments distingués.

Answers

(i) suite
(ii) de
(iii) a
(iv) depuis
(v) ce
(vi) comme

(vii) serai
(viii) reconnaissant
(ix) va
(x) du
(xi) envoyer

Translation

Dear Madam

In response to your advertisement, which appeared in Le Monde on the 8th of this month, I wish to apply for the position of sales assistant in your bookshop in Besançon.

May I introduce myself. My name is Paul O'Neill and I am 18 years old.

Your advertisement attracted my attention, because for a long time I have been intending to work abroad to gain experience of this type of work and to perfect my knowledge of French. I have worked as a sales assistant for six months. I know how to use a computer and a word-processor.

If you wish to call me for an interview, I will travel to France. I will be available to work from the end of June.

I would be very obliged if you would give me some information about the job. What will my salary be? Will your company reimburse me for the costs of moving?

Finally, I enclose my references. Please send me an application form.

Yours faithfully,

Un client mécontent *(A dissatisfied customer)* exercise

You write to a camera shop in France where you bought a camera. The camera is not working, so you complain. In your letter, tell them that:

- you are disappointed with the quality of such an expensive camera
- the problem arises when you tried to look at the photos
- you are sending back the camera either for repair or for compensation.

key point

The useful phrases for this type of letter are to be found in the vocabulary boxes on pp. 129 and 131.

Fill in the gaps

Appartement 323,
Avenue Molière,
Avignon

Appareils-Photo de Brie,
7, place de la Mer,
Clermont

Avignon, le 12 mai 2020

Monsieur,

Je suis au regret de vous informer que appareil photo haut de gamme (**i**) … j'ai acheté chez vous (**ii**) … mai pour mon séjour (**iii**) … Suisse, ne (**iv**) … pas. Il m'a coûté cher. Nous n'avons pas remarqué le problème avant d'avoir visionné les photos.

La moitié du bas de chaque photo est noircie. Cela m'a beaucoup déçu. On n'a plus de souvenirs de (**v**) … séjour dans un si beau pays.

Je veux me plaindre auprès de la direction de votre entreprise. Je (**vi**) … renvoie l'appareil. Ou bien vous le réparez ou bien vous me dédommagez de la perte des images.

Dans l'attente de vous lire, veuillez agréer, monsieur, mes meilleurs sentiments.

Vocabulary

Je suis au regret de vous informer …	*I regret to inform you …*
haut de gamme *top of the range* …	marcher *to work*
Cela m'a beaucoup déçu. *I was hugely disappointed.*	
Je veux me plaindre … *I wish to complain …*	
auprès de la direction *to the management*	
Ou bien vous le réparez ou bien vous … *Either you repair it or you …*	
dédommager de la perte *to compensate for the loss*	

Answers

(i) que
(ii) en
(iii) en

(iv) marche
(v) notre
(vi) vous

Translation

Dear Sir,

I regret to inform you that the top-of-the-range camera that I bought at your premises in May for my stay in Switzerland does not work. It cost me a lot of money. We did not notice the problem until we viewed the photos.

The lower half of each photo is blackened. It greatly disappointed me. We no longer have the memories of our holiday in such a beautiful country.

I wish to complain to the management of your company. I am sending you back my camera. Either you repair it or you compensate me for the loss of the pictures.

I look forward to your reply.

Yours faithfully.

Formal letter sample answers

Une lettre de réclamation (A letter of complaint)

Patrick Walsh	Syndicat de Saint-Cyr
Teeling St	Rue des Peupliers
Ballina	Saint-Cyr
Co. Mayo	
Irlande	Ballina, le 14 août 2020

Messieurs,

J'ai le regret de me plaindre de votre société. Il s'agit du séjour que nous avons passé au camping municipal à Saint-Cyr. Ma famille et moi avions l'intention d'y rester pendant une semaine.

Le camping n'a pas répondu à mes espérances pour les raisons suivantes :

(1) Notre emplacement, que j'avais déjà réservé en mars, se trouvait trop près des poubelles et le camping était sale.
(2) La brochure disait que le camping était situé à 1 km de la mer. En fait, il se trouve à 5 km du littoral.
(3) Il y avait trop de bruit tous les soirs.
(4) Quand je me suis adressé au gérant, il n'a pas été très poli.
(5) La salle de jeux a été fermée pendant trois jours sans explication.

Notre séjour a été gâché. Je vous serais reconnaissant de bien vouloir me dédommager de notre insatisfaction.

Je vous prie d'agréer, Messieurs, l'expression de mes sentiments distingués.

Vocabulary

J'ai le regret de me plaindre de …   *I regret to have to complain about …*
Il s'agit de …   *It's about / it concerns …*
n'a pas répondu à mes espérances pour les raisons suivantes   *did not live up to my expectations for the following reasons*
Je me suis adressé au gérant.   *I approached the management.*
Je vous serais reconnaissant de bien vouloir me dédommager de notre insatisfaction.
   I would be obliged if you would kindly compensate us for our dissatisfaction.

Translation

Dear Sirs,

I regret to have to complain about your company. It concerns our holiday, which we spent at the public campsite in Saint-Cyr. My family and I had intended to stay there for a week.

The campsite did not live up to my expectations for the following reasons:

(1) Our site, which I had booked in March, was situated too near the dustbins and the campsite was dirty.

(2) The brochure said that the campsite was located 1 km from the sea. In fact, it was 5 km from the shore.

(3) There was too much noise every night.

(4) When I approached the manager, he wasn't very polite.

(5) The games room was closed for three days without explanation.

Our holiday was spoiled. I would be obliged if you would kindly compensate us for our dissatisfaction.

Yours faithfully.

Renting a house (*une location*) in Les Sables-d'Olonne

Dear Madame Picard,

Lately I've been looking for a small cottage in a quiet resort in the west of France.

I wrote to the local 'syndicat d'initiative' for information. I received a letter today in which they gave me your name. The 'syndicat' tells me that you have a house for rent in August. Is that true? If the house is available, I would like to rent it for two weeks in August.

I would be delighted if you could give me the following information:

(i) How much is the rent per week?
(ii) How far is it from the nearest town?
(iii) Is the house far from the beach?
(iv) How many rooms does the house have?
(v) What is there to do in the area?

I look forward to hearing from you concerning this matter.

Yours faithfully,

Vocabulary

une station (estivale) *resort (summer)*	à louer *for rent*
Combien y a-t-il jusqu'à … ? *How far is it to …?*	

Translation

Chère Madame Picard,

Je cherche depuis peu de temps un petit gîte dans une station tranquille dans l'ouest de la France.

J'ai écrit au syndicat d'initiative local pour des informations. J'ai reçu une lettre aujourd'hui dans laquelle on m'a donné votre nom. Le syndicat me dit que vous avez une maison à louer en août. Est-ce vrai ? Si la maison est disponible, je voudrais la louer pour deux semaines en août.

Je vous serais reconnaissant(e) de bien vouloir m'envoyer les renseignements suivants :

(i) Quel est le montant du loyer par semaine ?
(ii) Combien y a-t-il jusqu'à la ville la plus proche ?
(iii) Est-ce que la maison est loin de la plage ?
(iv) Combien de pièces y a-t-il ?
(v) Qu'est-ce qu'il y a à faire dans la région ?

J'attends votre réponse à ce sujet avec impatience.

Je vous prie d'agréer, Madame, l'expression de mes sentiments distingués.

Leaving Cert 2018
Question 2 (b)

« La cueillette de fruits en Vaucluse

Des postes pour des cueilleurs / cueilleuses de fruits avec un contrat de travail de 2 mois à partir du 3 juillet. Salaire : 9,77 € par heure. »

Write an email in French to marine@jouffruit.fr applying for the above job as a fruit picker you saw advertised in the magazine L'Étudiant.

- Introduce yourself, giving your name, nationality and age
- Say that you are available to work for the months of July and August
- Refer to any type of work you did in the past
- Say how long you have been learning French and what your standard is
- Ask if accommodation is provided.

(about 75 words)

Sample answer

Monsieur / Madame,

À la suite de votre annonce parue dans la revue 'l'Étudiant', **je souhaite poser ma candidature** pour le poste de cueilleuse de fruits.

Je me présente. Je m'appelle Shona et j'ai seize ans. Je suis Irlandaise et j'habite à Cork.

J'ai déjà de l'expérience de **ce genre du travail**. L'été dernier, j'ai travaillé à la ferme de mon oncle. J'ai cueilli des pommes et des poires.

Je serai **disponible** pendant les mois de juillet et d'août.

J'apprends le français **depuis que j'ai** treize ans. J'ai atteint un bon niveau de langue orale et écrite.

Est-ce que vous **fournissez** du logement pour vos travailleurs? Sinon, je devrai trouver une auberge de jeunesse près de votre ferme. Ce sera possible ?

Si vous voulez plus de **renseignements**, n'hésitez pas à me contacter. **J'attache** mon cv et mes lettres de recommandation. **En attendant** votre réponse,

Veuillez agréer, madame, l'expression de mes sentiments distingués.

Translation

Following your advertisement in the magazine 'l'Étudiant', *I wish to apply* for the job of fruit picker.

I'll introduce myself. My name is Shona and I'm 16 years old. I am Irish and I live in Cork.

I have already some experience of *this kind of work*. Last summer, I worked on my uncle's farm. I picked apples and pears.

I will *available* for the months of July and August.

I've been learning* French *since I was* 13 years old. I have reached a good level of oral and written French.

Do you *provide* lodgings for your workers? If not, I will have to find a youth hostel near your farm. Will that be possible?

If you want more *information,* don't hesitate to contact me. *I enclose* my CV and my references. *Looking forward to* your reply.

Yours faithfully.

---

* 'I have been learning' includes a past tense 'I have been', but the action is still going on today. So, you use the present tense 'I am learning'. You'll find this useful with other verbs, e.g., I've been doing, he's been reading, they've been working, we have been living — all of these use the present tense.

- To prepare for Questions 3 and 4 of the Written Expression section of the exam by understanding what each of the different writing tasks entails.
- To learn the important phrases you will need.
- To practise writing clear, correct French.

The 'reaction question', as it could be called, refers to a newspaper article, cartoon or photograph that deals with a serious topic relevant to today's world.

You are asked to give your reaction to the article or picture in 75 words. You cannot waffle with this one! It's just too short. There are a few pointers you can use to tackle this question.

- **Think carefully about the headline,** which tells you what the topic is about. You can then anticipate what kind of text will follow.
- **Read the article at least twice** – the first time quite quickly to get an idea of what is happening in the text, the second time more slowly.
- **Underline key words.**

You can now write your **opening sentence**, which gives you the confidence to get moving.

The following are useful opening lines for this purpose:
Dans cette rubrique ...   *In this column ...*
Ce qui nous préoccupe, c'est ...   *What we're dealing with here is ...*
Cet article se rapporte à ...   *This article refers to ...*
Il s'agit de ...   *It's about ...*

Now give your **view**. If you're unsure as to how to express a point of view, rephrase it in a different way in English. Avoid a direct translation.

Lastly, draw a **conclusion**:
Tout compte fait ...   *All things considered ...*
Pour conclure ...   *To conclude ...*

Example
A graph illustrating the extent and spread of world debt appeared in a previous Leaving Certificate Written Comprehension section. Students were asked to write their reaction to it. The typical phrases and vocabulary are included in the Vocabulary boxes below.

- First, have a few **openers** ready, as mentioned above.

> **La dette mondiale**
> Ce graphique se rapporte à la dette des pays sous-développés. Il s'agit ici des pays en voie de développement et de leur rapport avec les pays riches occidentaux.

Vocabulary

se rapporte à	*refers to*
les pays en voie de développement	*developing countries*
Il s'agit de ...	*It has to do with ... / It concerns ...*
occidentaux	*western*

> **key point**
>
> 'Il s'agit de' is an impersonal expression insofar as 'il' does not refer to a person, the passage or any specific subject. So, begin your sentence: 'Dans ce passage, il s'agit de ...' or 'Il s'agit ici de ...'.

- Next, **give your own view.**

> Ceux-ci prêtent d'énormes sommes d'argent aux pays défavorisés. Le graphique montre que les pays en voie de développement détiennent la plupart des dettes dans le monde, et ils doivent rembourser ces dettes avec intérêt, ce qui les rend plus pauvres. Les pays pauvres ne peuvent pas se développer à cause du fardeau de la dette.

Vocabulary

Ceux-ci prêtent ...	*These (countries) lend ...*	ils doivent rembourser	*they have to pay back*
défavorisé	*deprived*	rendre	*to make (used with an adjective)*
montre que	*shows that*	le fardeau	*the burden*

> Nous pouvons aider ces pays à se développer. Comment ? Il faut annuler leurs dettes envers les pays de l'ouest. Je suis ravi(e) de voir que certaines vedettes de musique et de cinéma essayent de convaincre les gouvernements de réduire ou d'annuler les dettes.

Vocabulary

Il faut annuler ...	*We have to cancel ...*	en train de	*in the process of (doing something)*

- Lastly, **conclude.** Asking a few questions is a good way to sum up.

> Pour conclure / Tout compte fait, c'est la seule façon de diminuer le fardeau. Est-ce qu'il y a la volonté d'aider les pauvres ? Je doute qu'il en soit ainsi.

> **key point**
>
> Verbs that take infinitives (vouloir, pouvoir, aller, devoir) are essential for expressing a viewpoint.

Vocabulary

Pour conclure / Tout compte fait ...	*To conclude / All things considered ...*		
diminuer	*to reduce*	la volonté	*the will*
Je doute qu'il en soit ainsi.	*I doubt that this is so.*		

Translation

World debt

This graph refers to the debt of the under-developed countries. It concerns the Third World and its relationship with the rich Western countries.

These lend huge sums of money to the deprived countries. The graph shows that these countries have the majority of the world's debts, and they have to repay these debts with interest, which makes them poorer. The poor countries can't grow because of the burden of the debt.

We can help these countries to become less poor. How? We have to cancel their debts to the Western countries. I'm delighted to see a few stars of music and cinema in the process of persuading the governments to reduce or cancel the debts.

To conclude / All things considered, it's the only way to reduce the burden. Is there the will to help the poor? I doubt that there is.

Question 3 and 4 translation exercises

Education and trades

« De nos jours, les jeunes semblent tous se diriger vers l'enseignement supérieur – les facultés, les instituts de technologie. Seul problème, où va-t-on trouver demain les plombiers, les menuisiers, les boulangers ... ? »
Donnez vos reactions.

Translate the missing phrases

(i) *I totally agree with this point of view*. De nos jours, il y a (ii) *too much pressure* sur les élèves pour aller en fac. Ce sont les parents qui (iii) *stress the importance of* les études à l'université. On (iv) *doesn't take into account the* besoins de l'individu. La faculté (v) *doesn't suit everyone*. On (vi) *should* conseiller les jeunes sur les choix de carrière. Il y a une si (vii) *wide* gamme de métiers aujourd'hui.

Tout le monde (viii) *can't* espérer une carrière en médecine ou en droit. Je crois qu'il y a un peu de snobisme dans ce domaine. Certains parents (ix) *don't want* que leurs fils ou filles deviennent de la main-d'œuvre qualifiée ou des commerçants. Ceux-ci touchent (x) *nevertheless* un très bon salaire. Ils sont même très recherchés en période de crise économique. Ils (xi) *can* travailler n'importe où dans le monde.

Answers

  (i)   Je suis totalement de cet avis
 (ii)   Trop de pression
(iii)   Mettent l'accent sur
 (iv)   Ne tient pas compte des
  (v)   Ne convient pas à tout le monde
 (vi)   Devrait
(vii)   Large
(viii) Ne peut pas
 (ix)   Ne veulent pas
  (x)   Quand même
 (xi)   Peuvent

Junk food

Est-ce que nous mangeons trop de malbouffe ?

Translate the sample answer

> *What we're dealing with here is* the bad habit of eating too much junk food. Nowadays, young people don't eat three meals a day, like their parents *did** when they *were** young. *Instead of* vegetables, meat and fruit, they eat *too much* chocolate, chips and crisps. They also drink a lot of *fizzy drinks*.
>
> Many young people do not realise that a good diet can *enable* them *to* concentrate better in school. Good food is also good for their skin. *What's annoying* is that many young people drop the plastic wrappings from their *fast food* in the streets. In France, they take food seriously and generally eat well. Fast food restaurants are not as popular in France as in Ireland and in the US.

*did = imperfect tense (what their parents **used to do)**
*were = imperfect tense

Answer

<u>Ce qui nous préoccupe ici, c'est</u> la mauvaise habitude de manger trop de malbouffe. De nos jours, les jeunes ne prennent pas trois repas par jour, comme <u>faisaient</u>* leurs parents quand ils <u>étaient</u>* jeunes. <u>Au lieu des</u> légumes, de la viande et des fruits, ils mangent <u>trop de</u> chocolat, de frites et de chips. Ils boivent aussi beaucoup de <u>boissons gazeuses</u>.

Bien des jeunes ne se rendent pas compte qu'un bon régime peut leur <u>permettre</u> de mieux se concentrer à l'école. La bonne nourriture aide leur peau aussi. <u>Ce qui m'agace,</u> c'est que beaucoup de jeunes laissent tomber les emballages en plastique de leur <u>restauration rapide</u> dans les rues. En France, on prend la cuisine au sérieux et on mange bien en général. Les restaurants rapides ne sont pas aussi populaires qu'en Irlande ou qu'aux États-Unis.

Education

Changer le système de l'éducation ?

Translate the missing phrases

(i) *There are those who say* qu'on devrait faire des changements dans ce système. (ii) *According to* un sondage réalisé en France, la plupart des Français prônent un meilleur partenariat école-entreprise. Ici en Irlande, beaucoup de gens s'expriment insatisfaits de notre système et (iii) *would like to* remplacer le Leaving Certificate par le contrôle continu. Je suis d'accord dans une certaine mesure, mais je ne pense pas que les entreprises doivent avoir une influence sur (iv) *what we teach* dans nos écoles. On (v) *should reduce* le nombre d'élèves dans nos classes, elles sont les plus surchargées d'Europe. La pression des examens (vi) *can worsen* des problèmes tels que le racket. Je préférerais mettre en œuvre le contrôle continu.

Vocabulary

réaliséer *to carry out*	dans une certaine mesure *to a certain degree*
prôner *to advocate*	mettre en œuvre *to set up / introduce*

Answers

(i) Il y a ceux qui disent
(ii) Selon
(iii) Voudraient
(iv) Ce que nous enseignons
(v) Devrait réduire
(vi) Peut empirer

Useful phrases

Je tombe d'accord avec Jeanne.   *I agree with Jeanne.*
J'adhère totalement au point de vue de Monsieur …   *I completely agree with Mr. …*
Je trouve / crois qu'ils ont raison.   *I think that they are right.*
Je ne suis pas d'accord avec …   *I don't agree with …*
Je ne supporte pas un tel manque de respect.   *I cannot tolerate such a lack of respect.*
Je ne comprends pas comment on peut faire cela.   *I cannot understand how people can do that.*
Je m'oppose au tabagisme.   *I'm against smoking.*
On devrait …   *We / people should …*
Il est indispensable de …   *It is essential to …*
On n'a pas le droit de …   *Nobody has a right to …*
On ne devrait pas hurler.   *You / people shouldn't shout.*

Nous ne pouvons / devons pas tolérer un tel crime. *We can't / mustn't tolerate such a crime.*

Cela nécessite beaucoup d'argent. *That requires a lot of money.*

Je trouve qu'ils ont tort. *I think that they're wrong.*

Selon une enquête effectuée par des chercheurs ... *According to a survey carried out by researchers ...*

Questions 3 and 4 sample answers

Un sondage sur le sport

Que représente le sport pour vous ?

Sample answer

Selon un sondage récemment effectué, il est évident que la plupart des gens aiment faire du sport. C'est la même chose pour moi.

Pour ma part, je m'intéresse beaucoup au sport. Je regarde les matchs de foot et les courses de cheval à la télé. **Je trouve ça un bon moyen de me détendre** après avoir étudié pendant quelques heures.

À l'école, le sport n'est pas une matière. Faire du sport est **facultatif**, mais je crois qu'on devrait pratiquer à un sport. Ça sert à se faire des amis, à développer son caractère, à faire partie d'un groupe. **Il faut apprendre à** s'entendre avec autrui.

Je fais principalement du sport pour me tenir en forme. Cela m'aide aussi à me concentrer sur mes études. Je me fatigue moins en conséquence.

Je trouve le sport très passionnant. J'attends avec impatience le samedi parce que je participe à des matches contre d'autres écoles. **J'ai hâte de voir** les émissions sportives à la télé en semaine.

N'oubliez pas que, après la retraite à l'avenir, on pourra toujours faire du sport, **tel que** la pétanque et le golf. Le sport est pour tous les âges.

Vocabulary

Selon un sondage récemment effectué ... *According to a recent poll ...*
Je trouve ça un bon moyen de me détendre. *I find it a good way of relaxing.*
facultatif *optional (adj)*
Il faut apprendre à ... *You have to learn to ...*
pour laquelle *why (for which)*
J'ai hâte de voir ... *I can't wait to see ...*
tel que *such as*

Translation

<u>According to a recent survey</u>, it's obvious that most people like doing sport. It's the same for me.

I myself am very interested in sport. I watch football matches and horse racing on television. <u>I find it a good way of relaxing</u> after studying for a few hours.

In school, sport is not a subject. Doing sport is <u>optional</u>, but I believe that you should take part in a sport. It's useful for making friends, for developing your personality, for being a part of a group. <u>You have to learn to</u> get on with other people.

The reason why (for which) I do sport is to keep me fit. It helps me to concentrate on my studies. I get less tired as a result.

I find sport very exciting. I look forward to Saturday because I play matches against other schools. <u>I can't wait to see</u> the sports programmes on the television during the week.

Don't forget that, after retirement in the future, you'll be able to play sports, <u>such as</u> bowls and golf. Sport is for all ages.

Les villes irlandaises

On dit que les villes irlandaises sont devenues plus agréables, plus belles, plus propres aussi ces dernières années. Qu'en pensez-vous ?

Sample answer

Je ne suis pas d'accord avec cela. À mon avis, il y a beaucoup de **problèmes sociaux** dans nos villes irlandaises : les embouteillages, les SDF, la toxicomanie **et ainsi de suite**.

Je crois qu'il existe un gros problème de la violence. **Il y a eu** une forte augmentation du nombre de crimes commis par les jeunes. L'alcool **provoque** la violence. Quand les jeunes sont ivres, ils provoquent des disputes avec **n'importe qui**. Ils se bagarrent dans les rues. **Il est temps que** nous fassions face à la réalité violente de nos villes.

De plus, je trouve que les sans-abri sont un problème aussi. Certains sont contraints de dormir sur le trottoir, avec une seule couverture comme lit. **Il faut qu'ils mendient** de la nourriture chaque jour. C'est triste.

N'oublions pas les rues sales avec les détritus, les papiers et les cannettes jetés par terre.

Pour conclure, à mon avis, nos villes irlandaises ne sont pas **devenues** plus agréables, plus belles ou plus propres ces dernières années. **Nous devrions avoir honte** de notre pays.

Translation

I don't agree with that. In my opinion, there are a lot of <u>social problems</u> in our Irish towns: traffic jams, the homeless, drug addiction <u>and so on</u>.

I believe that there is also a serious problem of violence. <u>There has been</u> a large increase in the number of crimes committed by young people. Alcohol <u>causes</u> violence. When young people are drunk, they will start arguments with <u>anyone</u>. They will fight in the streets. <u>It is time that</u> we faced up to the violent reality of our towns.

In addition, I find that the homeless are also a problem. There are those who have to sleep on the pavements and they have only one blanket. <u>They have to beg</u> for food every day. It's sad.

Let's not forget the dirty streets with litter, pieces of paper and cans thrown on the ground. To conclude, in my view, our Irish towns have not <u>become</u> more pleasant, lovelier or cleaner these last few years. <u>We should be ashamed</u> of our country.

Les jeux électroniques

Les jeux électroniques, sont-ils nuisibles aux jeunes ?

Sample answer

Oui, c'est possible, mais de mon point de vue, ça **dépend de** l'individu. Pour exprimer mon avis personnel, je crois que ces jeux **captivent** les jeunes.

En premier lieu, de nos jours, les jeunes **font une fixation sur** les jeux électroniques. Apparemment pour eux, l'ordinateur est la seule chose importante dans leurs vies. **Qu'on le veuille ou non**, les conséquences de ce genre de technologie sont toujours **inquiétantes**. Quand on fait des jeux, on ne tient aucun compte du monde. On peut aussi souffrir des maux de dos. On ne sort pas pour faire une promenade. Selon une enquête effectuée par des chercheurs, quelques joueurs deviennent violents ou agités après des heures de jeux. Leur santé est **en jeu**.

Deuxièmement, les jeux ont une influence sur **la façon dont** ces jeunes perçoivent la vie. Les ados passent de plus en plus de temps à regarder le petit écran au lieu de faire du sport. Sans doute y a-t-il un manque de surveillance de la part des parents en ce qui concerne les ados et les jeux.

Finalement, malgré tout, ces jeux sont très populaires et ils peuvent être un bon moyen de **se défouler** après des heures d'études. **La plupart des** jeux sont juste un genre de **divertissement**. Si on prend ces jeux au sérieux, alors, c'est un problème.

Translation

Yes, it's possible, but from my point of view, it <u>depends on</u> the individual. In my personal opinion, I think that computer games <u>fascinate</u> young people.

In the first place, nowadays, young people <u>are fixated on</u> computer games. Seemingly for them, the computer is the only important thing in their lives. <u>Whether we like it or not</u>, the consequences of this type of technology are always <u>worrying</u>. When someone is playing games, they are not aware of the world outside. They can also suffer from back pain. They don't go out for a walk. According to a survey carried out by researchers, some players can become violent or agitated after hours of games. Their health is <u>at stake</u>.

Secondly, the games have an influence on <u>the way in which</u> these young people see life. Teenagers spend more and more time looking at the small screen instead of playing sport. No doubt there is a lack of supervision on behalf of the parents as far as teenagers and games are concerned.

Lastly, in spite of everything, these games are very popular and they can be a good way of <u>unwinding</u> after hours of studying. <u>Most of the</u> games are just a type of <u>entertainment</u>. If someone takes these games too seriously, then it's a problem.

La mode

La mode et les marques – une religion chez les 15–25 ans ?

Sample answer

La mode est vraiment une religion chez les jeunes. À mon avis, ce n'est pas une bonne chose. Il y a des jeunes qui ont beaucoup d'argent et ils peuvent acheter tous les vêtements de marques qu'ils désirent. **Rien n'est plus important**.

En revanche, il y a ceux qui n'ont pas beaucoup d'argent. Ils sont sous pression à cause de cela. Ils voudraient être comme les autres jeunes **aisés**, mais c'est vraiment difficile. Il s'agit des filles pour la plupart. Elles font des économies. Elles **ne pensent qu'aux fringues**.

Les jeunes filles ne peuvent pas **se passer des marques**. Les jeunes sont trop **préoccupés par** leur look. Ils veulent être minces pour ressembler aux mannequins célèbres. Par conséquent, ils mangent moins ; **ils jeûnent**. Le nombre de jeunes qui meurent à cause de cette folie augmente.

Translation

Fashion and brands – a religion for 15–25-year-olds?

Fashion is really a religion with the young. In my opinion, it's not a good thing. There are young people who have a lot of money and they can buy all the brand-named clothes they want. <u>Nothing is more important</u>.

On the other hand, there are those who don't have a lot of money. They are under pressure because of that. They might wish to be like the other <u>well-off</u> young people, but it's awfully hard. It affects girls for the most part. They save. They <u>think only about clothes</u>.

Girls <u>can't do without brand names</u>. They are too <u>concerned with</u> their appearance. They want to be thin in order to look like famous models. As a result, they eat less; <u>they fast</u>. The number of young people who die because of this nonsense is increasing.

Leaving Cert 2018
Question 3 (a)

À partir de septembre 2018, par ordre du ministre de l'Éducation nationale, les téléphones portables seront interdits dans toutes les écoles de France. Faut-il interdire les téléphones portables dans les écoles irlandaises ?

(75 mots environ)

Sample answer 1

Quand il s'agit de l'école, c'est essentiel de faire tout ce qui est possible de réduire les distractions qui peuvent déranger la concentration des élèves. Donc, je suis d'accord avec **l'interdiction des portables** dans les écoles irlandaises. Ce n'est pas une bonne idée d'avoir un portable en classe.

On entend parler du problème de l'addiction parmi les jeunes. Les jeunes devraient passer plus de temps à parler avec leurs camarades de classe pendant la journée scolaire. Il est très facile de **devenir accro** à son portable, et le temps qu'on passe à regarder le petit écran peut rapidement remplacer ses passe-temps plus bénéfiques. **Où qu'on aille**, on voit des jeunes sur leurs portables.

C'est un sujet très brûlant et épineux de nos jours avec le cyberharcèlement. **Les portables facilitent le cyberharcèlement**. Tout le monde est conscient de l'ampleur de ce problème.

Quelques élèves prennent des photos d'autres jeunes et **les affichent** sur les réseaux sociaux. Les victimes **se sentent impuissantes**. Il devrait y avoir des **campagnes de sensibilisation à ce sujet** dans nos écoles.

Trop de jeunes sont accros à la technologie, **que ce soit** un nouveau portable à écran tactile ou la tablette **dernier cri**. C'est leur moyen préféré de communiquer avec les autres. **Ils ne peuvent pas se passer de** leurs portables. Cela peut facilement **provoquer** l'échec scolaire. Les jeunes vivent dans un monde virtuel. On fait toujours des selfies. Ça m'agace.

On doit être très prudent quand on les utilise, surtout en ce qui concerne les détails personnels. Toute réflexion faite, bien que je sois conscient(e) des avantages des portables (ils sont pratiques et utiles), **il est à noter** qu'il y a plusieurs dangers liés à ces téléphones.

Translation

<u>When it comes to school</u>, it's vital to do everything that's possible to reduce the distractions which can disturb pupils' concentration. So, I agree with the <u>ban on mobile phones</u> in Irish schools. It's not a good idea to have a phone in class.

<u>You hear about the problem</u> of addiction among young people. Young people should spend more time talking with their classmates during the school day. It is very easy <u>to get addicted to</u> your mobile, and the time that you spend looking at the little screen can quickly replace more beneficial pastimes. <u>Wherever you go</u>, you see young people on their phones.

It's a burning and thorny issue nowadays with cyberbullying. <u>Mobiles make cyberbullying easier</u>. Everybody is aware of the magnitude of this problem. Some pupils take photos of others and <u>post them</u> on social media. The victims <u>feel powerless</u>. There must be <u>awareness campaigns about this</u> in our schools.

Too many young people are hooked on technology, <u>whether it is</u> a new mobile with a touch-screen or the <u>latest</u> tablet. It's their favourite means of communicating with others. <u>They can't do without</u> their mobiles. It can easily <u>cause</u> school failure. Young people live in a virtual world. They're always taking selfies. It annoys me.

People have to be very sensible when they use them, especially as far as personal details are concerned. All things considered, <u>although I see the benefits</u> of mobiles (they are practical and useful), <u>it's worth noting</u> that there are dangers associated with these phones.

Sample answer 2

Bien qu'il y ait des problèmes associés à l'utilisation des portables à l'école, je crois que c'est une mauvaise idée de les interdire. Ils nous donnent **énormément d'aide** en classe. On peut faire des calculs ou filmer une expérience en chimie en utilisant son portable.

C'est une ressource indispensable pour effectuer des recherches et pour ceux qui ont des problèmes avec **l'orthographe**. Les portables sont chers ; pourquoi pas les utiliser ? On devrait **en** profiter à l'école, et plus tard, à la fac.

Les profs les utilisent pour vérifier **des données**. Les élèves les utilisent pour faire des recherches ; ils apprennent beaucoup **des sites web**. On peut aussi traduire des mots très vite.

Peut-être qu'**il devrait y avoir un accord** entre les profs et les élèves – ne prenez pas de photos non-autorisées, et il n'y aura pas de problèmes. Les portables **ne devraient pas être interdits** à l'école. Si j'étais directeur, je **les** permettrais en classe.

Translation

Although there are problems associated with the use of phones in school, I think that it's a bad idea to ban them. They give us a great deal of help in class. You can do sums or film an experiment in Chemistry by using your phone.

It's a valuable resource for carrying out research and for those with spelling problems. Mobiles are expensive; why not use them? People should take advantage of them in school, and later in college.

The teachers use them to check data. The pupils use them to do research; they learn a lot from websites. You can also translate words very quickly.

Perhaps there should be an agreement between teachers and pupils – don't take unauthorised photos, and there won't be any problems. Mobiles shouldn't be banned in school. If I were the principal, I would allow them in school.

Leaving Cert 2018
Question 3 (b)

Pensez-vous que les voitures sans conducteur sont une bonne idée ?

(75 mots environ)

Sample answer

Selon certaines personnes, les voitures sans conducteurs **signifient** la fin d'emploi des chauffeurs de taxi. Mais ces autos sont en effet une bonne idée. Ce changement **s'approche**, et nous devons **accueillir** le progrès.

Quand on pense au nombre de personnes tuées sur les routes chaque année, on ne peut pas douter que nous avons besoin de voitures plus sûres et de conducteurs plus prudents. La vitesse et l'alcool sont à l'origine de ce problème.

Peut-être que la circulation sera plus rapide et moins stressante. Les conducteurs **pourraient se décontracter** plus dans les embouteillages **aux heures de pointe**.

On ne peut pas conduire **en état d'ivresse**. Donc, la voiture peut prendre la responsabilité ! Ces voitures ne peuvent pas **dépasser la limitation de vitesse**. Alors, ces voitures pourraient sauver des vies.

Il y a ceux qui croient, comme le passager dans l'image, que ce développement va remplacer des boulots. **Je doute que ce soit vrai**. Ces conducteurs peuvent acquérir de nouvelles compétences, avec des subventions du gouvernement.

Il y a des automobilistes qui ignorent **les règles générales de la circulation**, mais les ordinateurs ne le feront pas. Il y a plus d'avantages que d'inconvénients à l'égard les voitures sans conducteur. Il peut y avoir des difficultés, mais ces choses **vont s'arranger**. J'espère que cette technologie **réussira**.

Translation

According to this picture, driverless cars <u>mean</u> the end of jobs for taxi drivers. But these cars are indeed a good idea. This change <u>is coming</u>, and we have to <u>embrace</u> progress.

When you think of the number of people killed on the roads every year, you cannot doubt that we need safer cars and better drivers. Speed and alcohol are the cause of this problem.

Perhaps driving will be quicker and less stressful. Drivers <u>could relax</u> more in the traffic jams <u>at rush hours</u>.

You can't drive under the influence of alcohol. So, the car can take the responsibility! These cars cannot <u>break the speed limit</u>. Well then, these cars could save lives.

There are those who think, like the passenger in the picture, that this development is going to mean a loss of jobs. <u>I doubt that this is true</u>. These drivers can acquire new skills, with government subsidies.

There are drivers who ignore <u>the rules of the road</u>, but computers won't do so. There are more advantages than disadvantages regarding driverless cars. <u>There may be problems</u>, but these things <u>will sort themselves out</u>. I hope that this technology will <u>succeed</u>.

Leaving Cert 2018
Question 4 (b)

La nouvelle génération de jeunes leaders

Emmanuel Macron (40 ans) en France, Leo Varadkar (39 ans) en Irlande, Sebastian Kurz (31 ans) en Autriche et Jüri Ratas (39 ans) en Estonie – il y a une nouvelle génération de jeunes leaders en Europe.

Donnez vos réactions à ce développement.

(75 mots environ)

Sample answer

Je crois que c'est formidable que nous ayons une nouvelle génération de jeunes leaders en Europe. Ils sont l'avenir de nos pays. Ils **semblent** être les hommes politiques les plus aptes à **diriger** l'Europe. Il est nécessaire qu'ils soient traités avec respect. Leurs voix comptent.

Selon moi, ces leaders sont au courant des problèmes qui nous touchent, tels que les dégâts environnementaux, l'immigration, les droits des homosexuels et l'égalité pour les femmes. Ils sont plus aptes à **diriger** et de développer nos pays d'une façon globale, **comme il le faut**. L'Irlande **fait partie de l'**économie mondiale.

Par contre, on pourrait dire que certains leaders sont trop jeunes et sans expérience. On pourrait penser qu'ils n'ont pas les compétences requises pour le poste de premier ministre. Comme les autres hommes politiques, **il se peut que** *[+ subj.]* ces jeunes leaders *doivent* faire ce que leur parti politique **exige**. Ils n'ont pas une vaste expérience de la vie. Ils ne connaissent pas les problèmes de l'homme et de la femme de la rue. Peut-être que la pression de diriger un pays sera trop stressante. On verra.

Translation

I think it's great that we have a new generation of young leaders in Europe. They are the future of our countries. They <u>seem</u> to be the best politicians <u>to run</u> Europe. It is necessary that they are treated with respect. Their voices count.

In my view, these leaders are in touch with the problems which affect us, such as environmental damage, immigration, gay rights and equality for women. They are better able <u>to manage</u> and develop our countries with a global perspective, <u>as is necessary</u>. Ireland <u>is part of the</u> global economy.

On the other hand, you could say that some leaders are too young and inexperienced. One might think that that they haven't the required skills for the job of prime minister. Like other politicians, <u>it may be that</u> they have to do what their party <u>demands</u>. They haven't experienced life. They don't understand the problems of the man and woman in the street. Perhaps the pressure of running a country will be too stressful. We'll see.

Leaving Cert 2017
Question 3 (a)

Faire du shopping sur internet

Le shopping en ligne offre beaucoup d'avantages, mais il y a des inconvénients aussi. En êtes-vous d'accord ?

(75 mots environ)

Sample answer

Faire des achats sur Internet, c'est très **pratique** et souvent pas cher. Tout d'abord, cela permet d'acheter des produits sans avoir à sortir de chez soi. C'est un avantage **incontestable**. On peut aussi faire son shopping assis confortablement dans son fauteuil et on évite d'avoir à sortir **par un temps pluvieux**. De plus, on n'a pas à stationner ni à porter des sacs en plastique lourds. Tout est livré à votre porte. Sans le moindre problème. C'est si facile !

Ce qu'il y a de plus, on peut voir toutes les **gammes des** produits et des services sur l'écran. Les prix sont souvent moins élevés que dans les magasins.

Cependant, il y a le revers de la médaille. Les inconvénients sont importants. Là où il y a de bonnes affaires, on trouvera la malhonnêteté et **l'escroquerie**.

On ne connaît pas fréquemment **la provenance** des produits. Est-ce qu'ils contiennent des choses nocives ? Est-ce qu'ils ont été fabriqués par des enfants dans les pays en voie de développement ? Sont-ils **interdits** ailleurs ?

Quelquefois, on achète un produit, mais il n'arrive jamais à son adresse. Il y a des voleurs qui savent obtenir les détails des cartes de crédit des consommateurs. Ils utilisent ces détails pour dépenser de l'argent en ligne.

Internet n'est pas entièrement sûr. Il faut prendre garde.

Translation

Shopping on the internet is very convenient and often inexpensive. First of all, you don't have to leave your home when buying products on line. It's an <u>unquestionable</u> advantage. It's also comfortable when shopping in an armchair, and it isn't necessary to go out <u>in the rain</u>. In addition, you don't have to either park your car or carry heavy plastic bags. Everything is delivered to your door. <u>No hassle</u>. So easy.

<u>What's more</u>, you can see all the <u>ranges of</u> products and services on the screen. The prices are often lower than in the shops.

However, there is the other side of the coin. The disadvantages are significant. Wherever there are good bargains, you'll find dishonesty and <u>fraud</u>.

We frequently don't know <u>the source</u> of the products. Do they contain harmful things? Were they made by children in developing countries? Are they <u>banned</u> elsewhere?

Sometimes, you buy an item, but it doesn't arrive at your address. There are thieves who know how to get people's credit card details. They use these details to spend money online.

The internet isn't completely safe. You have to be careful.

7 Grammar Revision

aims

- To revise your basic knowledge of adjectives and adverbs and how to make them agree.
- To know the different verb tenses and endings.
- To have a good knowledge of nouns, pronouns and prepositions.
- To practise what you have learned through a variety of revision exercises.

Terminology

There is always a grammar question in each of the comprehensions. You are usually asked to give an example of a **verb**, **pronoun** or **adjective**. It's important to know the French terms for them.

Nouns, adjectives and pronouns

- **Le nom, le substantif** (noun; thing, place or person):
  Le **stylo**, la **fille**, la **voiture**.

- **L'adjectif** (adjective – word which describes a noun):
  Le ciel **bleu**, une ville **surpeuplée**, une rue **étroite**.

- **L'adjectif possessif** (possessive adjective – 'my, your', etc.):
  Mon frère, **tes** livres.

- **L'adjectif interrogatif** (interrogative adjective):
  Quels romans lisez-vous ? *What novels do you read?*

- **Le pronom personnel** (personal pronoun):
  Il parle allemand. *He speaks German.*

- **Le pronom interrogatif** (interrogative pronoun):
  Qui a téléphoné ? *Who phoned?*

- **Le pronom relatif** (relative pronoun, e.g. 'that, which'):
  Où est la valise **que** j'ai laissée ici ? *Where is the suitcase that I left here?*

- **Le pronom réfléchi** (reflexive pronoun, e.g. 'herself', when an action is done to oneself):
  Elle **se** dépêche, je **me** lave, nous **nous** amusons.

- **Le pronom démonstratif** (demonstrative pronoun – made up of the demonstrative adjective 'ce' + a noun):
  Celle que vous voyez. *The one which you see.*
  Ceux qui me connaissent. *Those who know me.*

Verbs

- **L'infinitif** (infinitive – the basic form of the verb or the verb as you find it in the dictionary): aller, donner, recevoir, écrire, trouver, etc.

- **Le verbe impersonnel** (impersonal verb – a verb which has no person such as 'I, you, we', etc. There is only 'it' – *il*):
  Il pleut. *It's raining.*
  Il faut que … *It's necessary that …*
  Il s'agit de … *It is a matter of … / It relates to …*

- **Le verbe pronominal** (reflexive verb – the action **reflects back** on the subject, i.e. the action of the verb is done to the subject):
  La voiture **s'arrête**. *The car stops (stops itself).*
  Je **me dépêche**. *I hurry (hurry myself).*

Tenses

- **L'indicatif présent** (present tense – 'I do, am doing'):
  J'attends. *I'm waiting.*
  Elle va. *She's going.*

- **Le futur simple** (future tense – 'will'):
  On sera à temps. *We'll be on time.*
  Ils iront en ville. *They will go into town.*

- **Le conditionnel** (conditional – 'would'):
  Que voudriez-vous ? *What would you like?*
  Je voudrais un café. *I'd like a coffee.*

- **Le passé composé** (perfect tense – 'did, have done'):
  Tu as écrit. *You wrote / have written.*
  Elles sont arrivées. *They (have) arrived.*

- **L'imparfait** (imperfect tense – 'was, were doing / used to do'):
  Quand j'étais jeune. *When I was young.*
  Ils écoutaient la radio. *They were listening to the radio.*

- **L'impératif** (imperative – giving orders):
  Ouvrez vos cahiers ! *Open your copies!*
  Attends un instant ! *Wait a moment!*
  Allons ! *Let's go!*

- **Le passé simple** (simple past tense – 'I did, he saw, we went, they said' – this is usually only seen in literary works):
  Je fus. *I was.*
  Il vint. *He came.*

- **Le plus-que-parfait** (pluperfect – 'had done'):

  On **avait écrit** la lettre. *We had written the letter.*

  J'**étais allé** chez moi. *I had gone home.*

- **Le subjonctif** (subjunctive – in English 'that I may / might'):

  Il faut que nous **partions**. *We have to leave (it is necessary that we leave).*

  Quoiqu'il **soit** malade, il travaille toujours. *Though he is sick, he's still working.*

- **Le subjonctif passé** (perfect subjunctive):

  Je doute qu'il **ait menti**. *I doubt that he has lied.*

  Jusqu'à ce que nous **soyons arrivés**. *Until we have arrived.*

- **Le participe présent** (present participle; not a main verb – 'doing, going, listening, having, being'):

  En **lisant** mon livre, je prenais des notes. *While reading my book, I was taking some notes.*

- **Le participe passé** (past participle; not a main verb – 'done, gone, had, been, chosen'):

  surprotégé par les animaux *overprotected by the animals*

  épuisé par le travail *exhausted by the work*

- **La voix passive / le passif** (the passive voice; the subject is passive, i.e. the action is done to it):

  La lettre **est écrite**. *The letter is written.*

  La tente **a été dressée**. *The tent was / has been put up (pitched).*

Miscellaneous

- **L'article partitif** (partitive article – 'any, some'):

  Avez-vous **de la** monnaie? *Have you any change?*

  Je vais boire **du** lait. *I'm going to drink some milk.*

- **L'adverbe** (adverb – a word that describes a verb):

  Il court **lentement**. *He runs slowly.*

  Tout à coup, il y a eu un bruit. *Suddenly, there was a noise.*

  J'ai **bien** dormi. *I slept well.*

Grammar

'On'

This is a useful and popular word. It represents 'one, we, you, they' and 'people'. One advantage of it is that it avoids having to use different parts of the verb, such as 'nous, vous, ils', etc. You only use the **third person singular**.

'On' is widely exploited by the French. In English, it is considered pretentious to say, '**One** shouldn't be without a credit card,' but in French, it's quite normal to say 'on' for 'one'. Look at these examples:

— Que fait-on à l'école ?   *What do you do in school?*

— On parle anglais ici.   *They speak English here.*

— On dit qu'il a raison.   *People say that he is right.*

— Alors, on a gagné le match ?   *Well, did we win the match?*

— Non, on a perdu !   *No, we lost!*

- **Note:** 'On' is a subject; it does the action of the verb. 'On' cannot be an object, but it is used to translate the passive in English:

  On a ouvert toutes les fenêtres.   *All the windows have been opened.*

  On a arrêté le voleur.   *The thief was arrested.*

  We don't know who opened the windows or who arrested the thief. The **real** subject is **not** mentioned, hence the use of 'on'.

- The possessive equivalent of 'on' is 'son':

  On perd son temps.   *People are wasting their time.*

- The reflexive of 'on' is 'se':

  En Allemagne on se lève très tôt.   *In Germany, people get up very early.*

'Mieux' and 'meilleur'

The difference between these two words (both meaning 'better') is:

- **'Mieux'** is an **adverb**, which describes a verb.

  J'étais malade, mais maintenant je vais **mieux**.

  ('vais' is a verb; 'mieux' describes how 'I am feeling')

- **'Meilleur'** is an **adjective**, which describes a noun.

  Everton est une bonne équipe, mais Liverpool est une **meilleure** équipe. ('meilleure' describes the noun, which is the Liverpool team)

'Meilleur' is an adjective; it agrees with the noun 'équipe'.
'Mieux' is an adverb, and so never changes.

Before doing the following exercise, it is worth revising '**bon / bien**'.

- 'Bon' is an adjective, which agrees with the noun. It means 'good':

  C'est une **bonne** idée.   *It's a good idea.*

  J'ai beaucoup de **bons** amis.   *I have a lot of good friends.*

- 'Bien' is an adverb, which describes a verb and never agrees with any word. It means 'well':

  Elle a **bien** joué hier.   *She played well yesterday.*

  Vous travaillez très **bien**.   *You are working very well.*

Exercise

Translate the words in brackets.
1. Je parle *(well)* l'italien mais je parle *(better)* l'allemand.
2. Louis est un *(good)* étudiant mais Frédéric travaille *(better)*.
3. Ma voiture roule *(better)* que les autres parce que c'est *(the best)*.
4. L'équipe d'Angleterre a de *(good)* footballeurs qui jouent *(well)*, mais les Allemands jouent *(the best)*.
5. Mon *(best)* ami habite près de chez moi.
6. Son idée est *(good)* mais j'aime *(better)* ton idée. Je crois que c'est la *(best)* idée.

Solutions

1. *bien ... mieux*
2. *bon ... mieux*
3. *mieux ... la meilleure*
4. *bons ... bien ... le mieux*
5. *meilleur*
6. *bonne ... mieux ... meilleure*

Le discours indirect

This is important for note writing in particular, but also for comprehension and opinion questions. It is used for **reporting** something that was said some time before. The same tense changes take place in both English and French.

- The **present tense** becomes the **imperfect**:

  (a) Direct: « Je suis fâchée », a-t-elle dit.   *'I am angry,' she said.*

  (b) Indirect: Elle a dit qu'elle **était** fâchée.   *She said that she was angry.*

- The **passé composé** becomes the **pluperfect**:

  (a) Direct: « Nous **avons lavé** la voiture », ont-ils dit.   *'We washed the car,' they said.*

  (b) Indirect: Ils ont dit qu'ils **avaient lavé** la voiture.   *They said that they had washed the car.*

- The **future** becomes the **conditional**:

  (a) Direct: « Je **rendrai** le livre demain », a-t-elle répondu.   *'I will return the book tomorrow,' she replied.*

  (b) Indirect: Elle a répondu qu'elle **rendrait** le livre demain.   *She replied that she would return the book tomorrow.*

'Depuis', 'il y a' and 'voilà'

'Depuis' means '**for**' or '**since**'.

- 'Depuis' with the **present tense** signifies that the action **has been taking place** in the **past** and is **still going on** in the **present**. It means that you <u>have been doing</u> something for a certain time:

  Je **lis** ce livre **depuis** la semaine dernière.   *I have been reading this book since last week (and I am still reading it).*

- If, however, the action **had been going on** in the **past** and has **stopped**, you use the **imperfect**:

  Je **lisais** le livre **depuis** deux semaines et je l'ai rendu à la bibliothèque.
  I had been reading the book for two weeks and I gave it back to the library (the action of reading is over).

In the oral exam, the question that leads to this type of answer is usually:

Depuis quand … ? *How long have you been … ? / 'Since when … ?'*

Or:

Depuis combien de temps … ?   *For how long … ?*

Depuis quand jouez-vous de la guitare ?   *How long have you been playing the guitar?*

J'en joue depuis sept ans / depuis que j'ai dix ans.   *I've been playing it for seven years / since I was ten.*

Note the inclusion of 'que' with 'depuis' when 'snce' is followed by a verb.

Exercise

Translate the following sentences.

1. We had been talking for an hour when Thomas showed up.
2. How long has she been waiting here?
3. She's been waiting for two hours.
4. How long have you been living in Waterford?
5. I've been living here for ten years.
6. We've been living here since we were teenagers.

Solutions

1. *Nous parlions depuis une heure quand Thomas est apparu.*
2. *Depuis quand est-ce qu'elle attend ici ?*
3. *Elle attend depuis deux heures.*
4. *Depuis combien de temps habitez-vous à Waterford ?*
5. *J'habite ici depuis dix ans.*
6. *Nous habitons ici depuis notre adolescence.*

Expressions of quantity (e.g. 'beaucoup de')

A frequent mistake made by even the best Leaving Certificate students relates to **expressions of quantity**:

un kilo de   *a kilo of*

une livre de   *a pound of*

une boîte de   *a box of*

un paquet de   *a packet of*

une bouteille de   *a bottle of*

une boîte de   *a can of*

une tasse de   *a cup of*

un peu de   *a little*

beaucoup de   *a lot, much*

combien de ?   *how much?*

assez de   *enough*

trop de   *too much*

plus de   *more*

> **key point**
>
> All expressions of quantity use '**de**', regardless of whether the nouns are masculine, feminine or plural! This point is easily forgotten.

Exercise

Translate the following sentences.

1. When I'm thirsty, I drink water.
2. I'd like a pound of steak, and some mince, please.
3. Would you like a cup of coffee? – Yes, thanks, and a spoonful (*cuillerée*) of sugar, please.
4. How many pupils are there in your school? – I don't know, but we have a lot of students here.
5. I need too many points to get into university.
6. I'm going to eat more vegetables in future. I'll eat peas, carrots, cabbage and broccoli.
7. There is too much traffic in my area and not enough buses.
8. Give me a little time and it will be ready.

Solutions

1. *Quand j'ai soif, je bois de l'eau.*
2. *Je voudrais une livre de steak, et de la viande hachée, s'il vous plaît.*
3. *Voudriez-vous une tasse de café ? – Oui, merci, et une cuillerée de sucre, s'il vous plaît.*
4. *Combien d'étudiants y a-t-il dans votre école ? Je ne sais pas, mais nous avons beaucoup d'élèves ici.*
5. *J'ai besoin de trop de points pour entrer à la fac.*
6. *Je vais manger plus de légumes à l'avenir. Je mangerai des petits pois, des carottes, du chou et du broccoli.*
7. *Il y a trop de circulation dans mon quartier, et pas assez d'autobus.*
8. *Donnez-moi un peu de temps et il sera prêt.*

There are other times when 'de' alone is used:

- When the verb is **negative**:
  As-tu des frères, Anne ? – Non, je n'ai **pas de** frères.

- When, in the **plural**, the **adjective goes before the noun**:
  Paul a des idées. – Oui, il a **de bonnes** idées.

Exercise

Translate the following sentences.
1. Look, there are some old cars over there.
2. Have you any change? – No, I don't have any.
3. I bought some new novels and some magazines at the bookshop.
4. I have no more time.

Solutions

1. *Regardez, il y a des vieilles voitures là-bas.*
2. *Avez-vous de la monnaie ? – Non, je n'en ai pas.*
3. *J'ai acheté de nouveaux romans et des revues à la librairie.*
4. *Je n'ai plus de temps.*

Le participe présent

In English, 'le participe présent' represents the '-ing' part of a verb.

You have experience of the past participle ('done, chosen, gone', etc.). The present participle is 'doing, choosing, going', etc.

But participles do not by themselves act as verbs. Therefore, they cannot by themselves make sentences:

> In each of these examples, the present participles ('having, being, laughing, crying') do not have 'is' or 'are', as in 'he is laughing, they are crying'. Therefore, they are **not** main verbs!

1. **She didn't go to school**, having the flu.
2. **Being well off, they went abroad on holiday.**
3. **Laughing out loud, he disturbed the silence.**
4. **Crying, she continued the story.**

To find the present participle of a verb isn't difficult – there are only three irregular examples!

- Take the **first person plural** (present tense) of any verb, e.g. 'nous écoutons, nous disons, nous faisons, nous lisons'.

- Remove the 'nous' and the ending '-ons', then **add** the ending '-ant': écoutant (*listening*), disant (*saying*), faisant (*doing*), lisant (*reading*).

So the four sentences mentioned above are translated as follows:

1. **Ayant la grippe, elle n'est pas allée à l'école.**
2. **Étant aisés, ils sont partis en vacances à l'étranger.**
3. **Riant aux éclats, il a rompu le silence.**
4. **Pleurant, elle a continué l'histoire.**

What are the three exceptions?
- avoir: ayant (*having*)
- être: étant (*being*)
- savoir: sachant (*knowing*)

- Used with 'en', it means 'while / by doing something':

  J'ai perdu mes clés en jouant au foot.   *I lost my keys while playing soccer.*

  On réussit en travaillant dur.   *You succeed by working hard.*

  En rentrant, j'ai rencontré Gérard.   *On returning, I met Gérard.*

  J'ai appris à me concentrer en lisant.   *I learned to concentrate by reading.*

- Use the **infinitive**, not the present participle, with verbs of **seeing or hearing** (i.e. the senses) :

  Je les entends arriver.   *I hear them arriving.*

  Il nous a vus faire du jardinage.   *He saw us gardening.*

- 'Aimer' and 'préférer' take the infinitive, **never** the present participle.

  J'aime pêcher (not: 'J'aime pêchant').   *I like fishing.*

  Je préfère marcher / me promener.   *I prefer walking.*

- After **prepositions**, use the **infinitive**:

  Sans dire un mot, elle est passée devant moi.   *Without saying a word, she walked past me.*

  Je passe mon temps libre à lire.   *I spend my free time reading.*

Exercise

Translate the following sentences.

1. They were talking about the party while playing chess.
2. I can't listen to Spotify while I'm studying.
3. Can you hear Billie Eilish singing on the radio?
4. No, but I saw her performing at the O₂.
5. Knowing that drugs affect (*toucher / nuire à*) your brain, I refused them.
6. Word-processing (*le traitement de texte*) is a very good way of writing an essay.
7. Let's go to Mark's house instead of going to the party.

Solutions

1. *Ils parlaient de la fête en jouant aux échecs.*
2. *Je ne peux pas écouter Spotify tout en étudiant.*
   ('Tout en' is used here to emphasise that the two actions are happening at the same time. 'Tout' doesn't change to feminine or plural in this case.)
3. *Est-ce que tu entends Billie Eilish chanter à la radio ?*
4. *Non, mais je l'ai vue faire une représentation à l'O₂.*
5. *Sachant que les drogues nuisent au cerveau, je les ai refusées.*
6. *Le traitement de texte est un bon moyen d'écrire une composition.*
7. *Allons chez Mark au lieu d'aller à la fête.*

Verbs with prepositions

How do we know which preposition to use with which verb? There is a list that can be learned, but it's better to learn them in examples and practise them.

- Here are some common verbs that take 'à' before the noun or infinitive:

  aider à (*to help*): J'aide ma mère à passer l'aspirateur.

  apprendre à (*to learn*): J'apprends à jouer de la guitare.

  commencer à: (*to begin*) Il a commencé à pleuvoir.

  s'habituer à (*to get used to*): On s'habitue à voyager.

  se mettre à (*to begin / start*): L'enfant s'est mis à jouer.

  inviter à (*to invite to*): On m'a invité à rester.

  jouer à (*to play*): Je joue au foot.

  répondre à: (*to respond to / answer*) Répondez à la question, s'il vous plaît.

  assister à (*to attend*): Nous avons assisté à une pièce de théâtre hier soir.

  s'intéresser à: (*to be interested in*) Je m'intéresse à la lecture.

- The next group of verbs have **prepositions in English** but **not** in French. The word **'for'** does not translate:

  attendre (*to wait for*): Il attend le train de sept heures.

  chercher (*to look for*): Je cherche mon billet. Où est-il ?

  payer (*to pay for*): Moi, je paye (also: 'je paie') les places.

  demander (*to ask for*): Demandez-lui l'heure.

- These verbs take **'de'** before the infinitive:

  cesser de (*to stop / cease*): Il a cessé de fumer.

  décider de (*to decide to*): Nous avons décidé de partir de bonne heure.

  essayer de (*to try to*): Il a essayé d'attraper le voleur.

  oublier de (*to forget to*): J'ai oublié de mettre ta carte à la poste.

- Verbs that take 'à' before the **object** and 'de' before the **infinitive** are verbs of communication, e.g. 'tell, advise, forbid, ask, allow', etc.:

Other structures

- **dire** à quelqu'un **de** faire quelque chose:
  J'ai dit à l'électricien de passer chez nous plus tard. *I told the electrician to call later.*

- **conseiller** à quelqu'un **de** faire quelque chose:
  La police a conseillé aux gens de s'éloigner. *The police advised the people to stay away.*

- **défendre / interdire** à quelqu'un **de** faire quelque chose:
  Le père de Seán lui* a défendu / interdit de fumer (*note: 'lui' not 'le' nor 'l''). *Seán's father forbade him to smoke.*

- **demander** à quelqu'un **de** faire quelque chose:

  Ma copine m'a demandé de l'accompagner en Finlande. *My friend asked me to go to Finland with her.*

- **permettre** à quelqu'un **de** faire quelque chose:

  Mon travail a permis à ma famille de voyager l'an dernier. *My job enabled my family to travel last year.*

Exercise

Translate the following sentences.

1. I will ask my friend to drop in today.
2. Frank advised his neighbour to visit the new art gallery.
3. We advised everyone to buy this textbook.
4. Monsieur Dantes let his son go out to the club.
5. Ask Antoine to lend you his book.
6. Tell Michael to call me.
7. My father ordered me to put away (*ranger*) my DVDs.
8. Our boss forbids us to leave before five o'clock.
9. Our guidance counsellor advised Denis to do Science.
10. She told them to hurry.

key point

When 'à' comes before the object pronouns 'le, la, les', then 'à' combines with them to become 'lui' (*to him / her*) and 'leur' (*to them*).

Solutions

1. *Je demanderai à mon ami de passer chez moi aujourd'hui.*
2. *Frank a conseillé à son voisin de visiter le nouveau musée d'art.*
3. *Nous avons conseillé à tout le monde d'acheter ce cahier.*
4. *M. Dantes a permis à son fils de sortir en boîte.*
5. *Demande à Antoine de te prêter son livre.*
6. *Dis à Michel de me téléphoner.*
7. *Mon père m'a ordonné de ranger mes DVD.*
8. *Notre patron nous défend de partir avant dix-sept heures.*
9. *Notre conseiller d'orientation a conseillé à Denis de faire des sciences.*
10. *Elle leur* a dit de se dépêcher.* (*Note: 'leur' not 'les')

Now, putting them all together, try the following two exercises.

Exercise

Remplacez les points de suspension avec la préposition qui convient (s'il en est besoin).

1. J'écoute … les CD.
2. Regardez … sa voiture neuve.
3. L'avion est parti … Shannon à dix heures.
4. Ma mère nous a conseillé … prendre garde aux étrangers.
5. Ne t'inquiète pas. Je paie … les friandises.
6. Que fais-tu ? Je cherche … ma montre.

7. Je ne peux pas répondre ... votre question, Madame.
8. Permettez-moi ... me présenter.
9. Il demande ... l'agent où se trouve la mairie.
10. Le gouvernement a promis ... électeursde réduire les impôts.
11. J'ai raconté l'histoire ... classe.
12. Les refugiés ont essayé ... s'échapper ... camp.

Solutions

1. *J'écoute les CD.*
2. *Regardez sa voiture neuve.*
3. *pour / de*
4. *de*
5. *Ne t'inquiète pas. Je paie les friandises.*
6. *Que fais-tu ? Je cherche ma montre.*
7. *à la*
8. *de*
9. *à*
10. *aux*
11. *à la*
12. *de ... du.* (Note: Numbers 1, 2, 5, 6 = no prepositions)

Exercise

Traduisez les phrases suivantes.
1. They are waiting for the bus.
2. Ask the lads to bring their video games on Saturday.
3. Who's paying for the damage?
4. Ask them the time. My watch is slow.
5. She's leaving Limerick on Friday.
6. She advised me to study Information Technology.
7. I can play the piano.
8. Do you help your parents to do the housework?

Solutions

1. *Ils attendent l'autobus.*
2. *Demandez aux copains d'apporter leurs jeux vidéo samedi.*
3. *Qui paie les dégâts ?*
4. *Demande-leur quelle heure il est. Ma montre a du retard.*
5. *Elle part de Limerick / elle quitte Limerick vendredi.*
6. *Elle m'a conseillé d'étudier l'informatique.*
7. *Je sais* (not 'pouvoir' here) *jouer du piano.*
8. *Est-ce que vous aidez vos parents à faire le ménage ?*

Le passé simple *(Simple past tense)*

This tense has to be learned mainly for recognising it in comprehensions. It is chiefly a **literary tense** – it isn't used in conversation or letter writing. You will come across it in literature, journalism and narrative.

In English, the 'passé simple' is the **simple past tense**, e.g. 'I did, he saw, we went, they sold', etc. The 'passé simple' has to do with actions that **occurred in the past**. It has a similar time span in the past as the 'passé composé', as though you were being asked the question: 'What happened next?' It replaces the 'passé composé' in a narrative.

'-er' verbs (regarder)	'-ir' verbs (choisir)	'-re' verbs (attendre)
je regard**ai** (*I watched*)	je chois**is** (*I chose*)	j'attend**is** (*I waited*)
tu regard**as**	tu chois**is**	tu attend**is**
il / elle regard**a**	il / elle chois**it**	il / elle attend**it**
nous regard**âmes**	nous chois**îmes**	nous attend**îmes**
vous regard**âtes**	vous chois**îtes**	vous attend**îtes**
ils / elles regard**èrent**	ils / elles chois**irent**	ils / elles attend**irent**

- The **'-oir'** verbs are all **exceptions**. Their formation often comes from the **past participle** of the verb. For example:

  recevoir (to receive; past participle – *reçu*)

  je reçus (*I received, I got*)   nous reçûmes

  tu reçus   vous reçûtes

  il / elle reçut   ils / elles reçurent

- Note the frequency of the letters **'u'** in these '-oir' verbs.
  Learn the following common exceptions:

  boire (past participle: bu) – je bus, tu bus, il but, etc.
  vouloir (voulu) – je voulus
  connaître (connu) – je connus
  pouvoir (pu) – je pus
  devoir (dû) – je dus
  mettre (mis) – je mis
  écrire – j'écrivis
  faire – je fis
  naître – je naquis
  vaincre – je vainquis
  ouvrir – j'ouvris
  voir – je vis

Note especially:

avoir	être	venir
j'eus (*I had*)	je fus (*I was*)	je vins (*I came*)
tu eus	tu fus	tu vins
il / elle eut	il / elle fut	il / elle vint
nous eûmes	nous fûmes	nous vînmes
vous eûtes	vous fûtes	vous vîntes
ils / elles eurent	ils / elles furent	ils / elles vinrent

'Qui', 'que' (pronom relatif)

Both can mean **'which'** and **'that'**, as well as **'who / whom'**. Students frequently confuse them.

- 'Qui' refers to the **subject** of the verb that follows it.

  J'ai envoyé la lettre qui était sur la table.   *I sent the letter which was on the table.*

  ('la lettre' is the subject of 'était')

- 'Que' refers to the **object** of the verb that follows it.

  J'ai envoyé la lettre que tu as écrite.   *I sent the letter that you wrote.*

  ('la lettre' is the object of the second verb because it was 'written')

Consider these two incomplete sentences:

Voilà l'athlète ... a gagné la médaille d'or !   *Here is the athlete who won the gold medal!*

As-tu le roman ... je t'ai prêté ?   *Have you got the novel that I lent you?*

The two gaps represent the relative pronouns 'qui' or 'que'.

Now ask yourself: has the verb 'a gagné' got a subject before it?

No, it hasn't. So put one in – '**qui**':

Voilà l'athlète **qui** a gagné la médaille d'or !

In the second example, has the verb 'ai prêté' got a subject before it?

Yes, it has. It is 'je', so don't put another one in there. Use the object '**que**'. Hence:

As-tu le roman **que** je t'ai prêté ?

Exercise

Replace the gap with 'qui' or 'que'.

1. Quel est le nom du film ... tu as vu hier ?
2. Giggs est le joueur ... j'aime le plus.
3. Je suis entré dans la pièce ... se trouvait en face de la cuisine.
4. Où sont les cadeaux ... je viens d'acheter ?
5. Je vois le chemin ... mène à la ville.
6. Ils sont descendus dans un hôtel ... donne sur la mer.
7. La Suisse est le plus beau pays ... nous connaissions *(the subjunctive follows a superlative)*.
8. C'est Joanna ... m'a raconté l'histoire.

Solutions

1. *que*	**2.** *que*	**3.** *qui*	**4.** *que*
5. *qui*	**6.** *qui*	**7.** *que*	**8.** *qui*

'Dont' (pronom relatif)

This can be a difficult pronoun, and one which students seldom use – or know how to use. 'Dont' is in the same category of pronouns as 'qui' and 'que' – that is, it is a relative pronoun.

'Dont' translates as 'of whom', 'of which', 'whose', etc. It stands in for 'de' plus a **relative pronoun**. In other words, it is like saying 'de que', which would not be correct. Look at these examples.

- 'Dont' is used as a **relative pronoun** when the verb takes the preposition '**de**':

  Ce sont les trucs dont tu as besoin. (avoir besoin de) *These are the things that (of which) you need.*

- 'Dont' is used instead of '**de**' and '**que**':

  L'acteur dont il parle est mort. (parler de) *The actor about whom he talks has died.*

- 'Dont' also means '**whose / of whom**':

  Je connais un homme dont le fils a gagné le gros lot. *I know a man whose son won the lottery.*

  Mon père parlait à la femme dont le mari est mort. *My father was speaking to the woman whose husband has died.*

  L'homme dont la voiture est tombée en panne est en colère. *The man whose car broke down is annoyed.*

- Other uses of 'dont' are as follows:

  (a) Meaning '**including**':

  Le tremblement de terre a fait deux cents morts, **dont** douze enfants. *The earthquake caused 100 deaths, including 12 children.*

  (b) '**La façon dont**' (*the way in which*):

  Cela dépend de la façon **dont** il marche. *That depends on the way in which it works.*

Exercise

Translate the following sentences.
1. Do you see the person I'm talking about?
2. The teacher, whose pupils did well, received praise *(des éloges)* from the parents.
3. The child, whose name appeared in the paper, won the award.
4. Have you found the list I need? *(avoir besoin de)*
5. My neighbour, whose daughter got married last year, will visit us soon.
6. The floods caused 35 injuries, including ten serious ones.
7. I didn't like the manner in which he spoke.

Solutions

1. *Est-ce que tu vois la personne dont je parle ?*
2. *Le professeur, dont les élèves ont bien réussi, a reçu des éloges des parents.*
3. *L'enfant, dont le nom a paru dans le journal, a gagné le prix.*
4. *Avez-vous trouvé la liste dont j'ai besoin ?*
5. *Mon voisin, dont la fille s'est mariée l'année dernière, va bientôt nous rendre visite.*
6. *Les inondations ont fait trente-cinq blessés, dont dix blessés graves.*
7. *Je n'ai pas aimé la façon dont il a parlé.*

'Lequel' (pronom relatif)

In the previous section, we saw how to say 'of which' and 'of whom', but how do you say **'with which'**, **'in which'**, **'without which'** and so on?

That's where **'lequel'** comes in. 'Lequel' is another relative pronoun like 'qui, que' and 'dont', but is used when the relative **'which'** comes **after a preposition**:

La feuille, <u>sur</u> laquelle j'écris, est blanche.   *The page, which I'm writing on (i.e. <u>on</u> which), is blank.*
Les questions <u>aux</u>quelles j'ai répondu étaient faciles. *The questions which I answered (literally: '<u>to</u> which I replied') were easy.*

- 'Lequel' changes for **feminine** and **plural**:

	Masculine	Feminine
Singular	lequel	laquelle
Plural	lesquels	lesquelles

- **'à' + 'lequel' = 'auquel' + de**

	Masculine	Feminine
Singular	auquel	à laquelle
Plural	auxquels	auxquelles

Exercise

Translate the following sentences.
1. Where is the biro that I was working with? (literally: 'with which I was working')
2. Lend me the cards you were playing with, please.
3. We are staying in a hotel in which there is a great pool.
4. That's the table under which you'll find the suitcase.
5. The neighbours, for whom I bought messages, gave me 20 euros.

Solutions

1. *Où est le stylo avec lequel je travaillais ?*
2. *Prête-moi les cartes avec lesquelles tu jouais, s'il te plaît.*
3. *Nous restons dans un hôtel dans lequel il y a une piscine formidable.*
4. *Voilà la table sous laquelle vous trouverez la valise.*
5. *Les voisins, pour lesquels j'ai fait des courses, m'ont donné vingt euros.*

Le futur logique *(logical future)*

- Think of the title – 'logical' and 'future'. It follows that when the **main clause** is in the **future**, and if the **minor clause** starts with the words '**when**' or '**as soon as**', then that clause will logically also take the **future tense**:

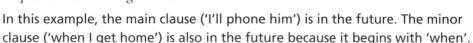

This form is very useful for Question 2 of the written section (the informal letter or email).

Je lui téléphonerai quand j'arriverai chez moi.
I'll phone him when I get home.

In this example, the main clause ('I'll phone him') is in the future. The minor clause ('when I get home') is also in the future because it begins with 'when'.

- To put it another way, the logical aspect of this is that I cannot phone anyone until 'I will get home'.

Dès qu'ils te verront, ils te parleront.   *As soon as they see you, they'll speak to you.*

Here again, it is logical to say that they can't speak to anyone until such a time as they will see them.

- If you have a **command** in the **main clause**, then the same rules apply, i.e. 'when', 'as soon as' + future:

Aussitôt que vous les rencontrerez, faites-moi savoir.   *As soon as you meet them, let me know.*

Summary:	main clause	+	'as soon as' / 'when'	+	minor clause
	(future)		(*dès que, aussitôt que /*		(future)
	(command)		*quand, lorsque*)		

Exercise

Translate the following sentences (not every sentence is a logical future).
1. As soon as I get my Leaving Cert, I'll go abroad.
2. Whenever I don't bring my umbrella, it rains!
3. When I got my wages last week, I spent it all *(dépenser ... en)* on DVDs.
4. When Julie rings, tell her that I have just left.
5. Let me know when she rings.
6. Each time that I go on a diet *(faire un régime)* it makes no difference.
7. If you visit New York, you'll see the Statue of Liberty.
8. When he gets home we'll all go out together.

Solutions

1. *Dès que j'aurai mon bac, j'irai à l'étranger.*
2. *Chaque fois que je n'apporte pas mon parapluie, il pleut.*
3. *Quand j'ai reçu mon salaire la semaine dernière, j'ai tout dépensé en DVDs.*
4. *Quand Julie téléphonera, dis-lui que je viens de partir.*
5. *Fais-moi savoir quand elle téléphonera.*

6. *Chaque fois que je fais un régime, cela ne fait pas de différence.*
7. *Si vous visitez New York, vous verrez la Statue de la Liberté.*
8. *Lorsqu'il rentrera chez lui, nous sortirons tous ensemble.*

It is worth noting the verb **'passer'**, which can have **two meanings**.
'Passer' can mean either 'to spend' (as in time), or 'to pass by, call in'.
The meaning will determine whether to use 'avoir' or 'être':
Le facteur est passé ce matin.   *The postman called in (dropped by) this morning.*
Les copines de Marie sont passées chez elle.   *Marie's friends called in at her house.*
Les autos sont passées dans la rue.   *The cars passed by in the street.*
L'été dernier, j'ai passé mon temps à jouer au tennis.   *Last summer, I spent my time playing tennis.*

Le passif *(passive)*

Look at these two sentences:

The car knocks down the boy.   *La voiture renverse le garçon.* (active)
The boy is knocked down by the car.   *Le garçon est renversé par la voiture.* (passive)

- When the **subject** of a sentence carries out the **action** of the verb, as it does in the first example, the verb is **active**.

- When the subject is **not doing** anything, it is **passive** – the action **is done to him / her**, as in the second example.

Try two more examples:

Paul écrit la lettre. (active)   *Paul is writing the letter (Paul is doing the action).*
La lettre est écrite par Paul. (passive)   *The letter is written by Paul (the letter is not doing the action).*

You will have noticed by now that to form the passive, you use
'être' + 'past participle' – in any tense:
  La lettre est écrite.   *The letter is written.*
  La lettre a été écrite.   *The letter was / has been written.*
  La lettre avait été écrite.   *The letter had been written.*
  La lettre sera écrite.   *The letter will be written.*

> **key point**
>
> The past participle *(écrite)* agrees with the subject *(la lettre)* because you are using 'être':
> La fille est aimée de tous.   *The girl is liked by everyone.*
> La chemise a été déchirée.   *The shirt was / has been torn.*
> Les enfants avaient été réveillés.   *The children had been woken up.*
> Nous avons été vus.   *We have been (were) seen.*

There are two main ways of avoiding the passive.

Use 'on' and an active verb

This is used when the action is **intentional** and the **person** doing the action of the verb is **not mentioned**:

> On parle anglais ici.   *English is spoken here. (People speak English here.)*
> On l'a emmené à l'hôpital.   *He was taken to hospital. (Someone took him to hospital.)*

However, be careful with the intention. 'He was killed in an accident' would **not** be 'On l'a tué dans un accident' (because it implies murder!). Instead, we must use the passive: Il a été tué …

Use a reflexive verb

Elle s'appelle Marie.   *She is called Marie.*
That is not done here.   *Cela ne se fait pas ici.*

> **key point**
>
> If the **subject** is also an **indirect object**, then it cannot be passive *in French*, e.g. 'I was told the time by my friend'.
> This is fine in English, but **not** in French, because the verb 'dire' takes 'à' before its object. Thus, you cannot use 'je' as a subject when it is also the object of 'dire à'. 'À' cannot be excluded; it must go somewhere.
> Hence the sentence becomes as it were: 'One told me'. In French, this done by using 'on' plus the **indirect** object pronoun (me, te, lui, nous, vous, leur):
> On m'a dit …   *I was told … (i.e 'One said to me')*
> On lui a donné le poste.   *He was given the job. (i.e. 'One gave the job to him')*

Exercise

Translate the following sentences.
1. The motorcyclist was knocked down by the lorry.
2. The lorry driver knocked down the cyclist.
3. We were advised to leave.
4. I advised him to take notes.
5. It is said that they will arrive.
6. The letter was written.

7. The car was stopped by the police.
8. He was asked a question *(poser une question)*.
9. That is not done here.
10. The house had been burgled.
11. They were killed in an earthquake.
12. We were asked to come here.

Solutions

1. *Le motocycliste a été renversé par le camion.*
2. *Le camionneur a renversé le cycliste.*
3. *On nous a conseillé de partir.*
4. *Je lui ai conseillé de prendre des notes.*
5. *On dit qu'ils arriveront.*
6. *La lettre a été écrite.*
7. *La voiture a été arrêtée par la police.*
8. *On lui a posé une question.*
9. *Cela ne se fait pas ici.*
10. *La maison avait été cambriolée.*
11. *Ils ont été tués dans un tremblement de terre.*
12. *On nous a demandé de venir ici.*

Qu'est-ce que / Que (What) ? Ce que / qui

The main point here is to know the difference in French between 'what' as a **question** and 'what' as a **relative pronoun**. Examine these sentences.

Qu'est-ce que vous avez dit, Luc ?   *What did you say, Luc?*
Dis-moi **ce que** vous avez dit.   *Tell me what you said.*

'**Que**' is the question word '**what**' and '**ce que**' is the **relative pronoun**. To put it another way, 'ce que' does **not** ask a question!

You may have noticed that the word '**que**' is the object (remember '**qui / que**'; see p. 164). What if the word '**what**' is the subject?

Qu'est-ce qui se passe ici ?   *What is happening here?*
Dis-moi **ce qui** se passe ici.   *Tell me what is happening here.*

Exercise

Translate the following sentences.
1. I don't know what's going on.
2. What did they do?
3. What do you like about school?
4. What I like about school, is friends.
5. What should we do?
6. Don't ask them what they are doing today.
7. What's not working in the factory?
8. That's what's not working here.

Solutions

1. *Je ne sais pas ce qui se passe.*
2. *Qu'est-ce qu'ils ont fait ?*
3. *Qu'est-ce que vous aimez à l'école ? / Qu'aimez-vous à l'école ?*
4. *Ce que j'aime à l'école, c'est les copains.*
5. *Qu'est-ce que nous devrions faire ? / Que devrions-nous faire ?*
6. *Ne leur demandez pas ce qu'ils font aujourd'hui.*
7. *Qu'est-ce qui ne marche pas dans l'usine ?*
8. *C'est ce qui ne marche pas ici.*

Le subjonctif *(subjunctive)*

The subjunctive is widely used in French. It appears regularly in **literature**, **conversation** and **journalism** writing.

> *exam focus*
>
> Don't worry too much about the subjunctive. Aim to recognise it for the comprehensions and learn some examples for use in the oral and written sections of the exam.

We don't have any real experience of it in English except with a few conjunctions, such as 'as if', 'as though', 'if' and verbs of **wishing**.

- First, think of the tenses that you have studied so far. They express fact and certainty – **the way things are, were or will be**, such as:

    Joe travaillait dur.   *Joe worked hard.*

    Elle reviendra bientôt.   *She will return soon.*

    Cela est vrai.   *This is true.*

- The subjunctive is less certain, more doubtful and vague. It expresses what, in the mind of the speaker, is **desirable** or **undesirable**, what is **preferred** or **doubtful**:

    Je préfère que Joe ait travaillé dur.   *I would rather Joe had worked hard.*

    Il est possible qu'elle revienne bientôt.   *It is possible that she will soon return.*

    Je doute que ce soit vrai.   *I doubt that this is true.*

- Normally, the subjunctive is **preceded** by '**que**'. (But this doesn't mean that the subjunctive is used every time you use 'que'.)

- The **present** subjunctive is the only one to learn (the 'passé composé' subjunctive (le subjonctif passé) merely consists of changing 'avoir' and 'être' into the present subjunctive).

- Take the third person plural of the verb.
- Remove the '-ent' ending.
- Add the endings: -e, -es, -e, -ions, -iez, -ent.

How to form the subjunctive

The subjunctive is very similar to the present tense of regular '-er' verbs:

Visiter (regular)
que je visite *(that I (may) visit)*
que tu visites
qu'il / elle visite
que nous visitions
que vous visitiez
qu'ils / elles visitent

Aller (irregular)
que j'aille *(that I (may) go)*
que tu ailles
qu'il / elle aille
que nous allions*
que vous alliez*
qu'ils / elles aillent

* **Note** that in several irregular verbs, the stems of the verbs with 'nous / vous' refer back to the infinitive, just like they do in the present tense. Other notable exceptions are:

Être
que je sois
que tu sois
qu'il / elle soit
que nous soyons
que vous soyez
qu'ils / elles soient

Avoir
que j'aie
que tu aies
qu'il / elle ait
que nous ayons
que vous ayez
qu'ils / elles aient

Faire
que je fasse
que tu fasses
qu'il / elle fasse
que nous fassions
que vous fassiez
qu'ils / elles fassent

Check your textbook for a more comprehensive list.

Uses

- **After verbs of wishing / wanting**

  The subjonctive is used when you 'want' or 'prefer someone else to do' something.

  Je voudrais aller au Pays de Galles.   *I would like to go to Wales.*
  Je voudrais qu'il **aille** au Pays de Galles.   *I would like him to go to Wales.*

  In the second example, the subjunctive is used. The reason is that when the two verbs in each clause have **different subjects**, then 'wishing' takes the subjunctive. Thus, 'I' wish that 'he' goes to Wales requires the subjunctive.

  In the first example, there is only the **one** subject, that is, 'I'. Thus, 'I' wish that 'I' go to Wales (infinitive). This also applies to verbs of preferring and liking.

- **Verbs of preferring**

  Nous préférons rester ici.   *We prefer to stay here. (1 subject)*
  Nous préférons que vous **restiez** ici.   *We prefer you to stay here. (2 subjects)*

- **Verbs of liking**

  J'aimerais m'engager dans l'armée.   *I'd like to join the army. (1 subject)*
  J'aimerais que tu me **téléphones**.   *I'd like you to ring me. (2 subjects)*

The best way to learn these expressions is to pick a few examples, learn them and use them often in class work.

- **After certain** conjunctions
  avant que *(before)*:
  Ne partez pas avant que je vienne.   *Don't leave before I come.*

  pour que / afin que *(in order that / so that)*:
  Il me l'a expliqué avec soin pour que je puisse comprendre.   *He explained it to me carefully so that I could understand. (literally, 'that I may understand')*

  bien que / quoique *(although / though)*:
  Quoiqu' / bien qu'il soit malade, il ne reste pas au lit.   *Although he is sick, he doesn't stay in bed.*

  jusqu'à ce que *(until)*:
  Attendez ici jusqu'à ce que je revienne.   *Wait here until I return.*

  de peur / de crainte que … ne *(for fear that)*:
  Je devrais l'accompagner de peur qu'il **ne** fasse une bêtise.   *I'd better go with him for fear (in case) he does something stupid.*

Note the use of '**ne**' in this last construction.

- **After verbs of** doubt
  Je doute que tu aies raison.   *I doubt that you are right.*

- **After certain common** expressions / impersonal verbs
  il faut que   *(it is necessary)*:
  Il faut que tu t'en ailles maintenant.   *You have to go away now.*

  il est temps que   *(it's time that)*:
  Il est temps qu'ils s'en aillent. (s'en aller – *to go away*)   *It's time for them to go.*

  il est possible que   *(it's possible that)*:
  Il est possible qu'il ait dit cela.   *It's possible that he said that.*

  il vaut mieux que   *(it's better that)*:
  Il vaut mieux que tu apprennes une langue.   *It's better for you to learn a language.*

  il est important que   *(it's important that)*:
  Il est important que tu réussisses à tes examens.   *It's important that you succeed in your exams.*

All these expressions have to do with **possibility** and **doubt**. However, expressions that are concerned with **certainty** and **probability** do **not** take the subjunctive:

Il est certain que nous gagnerons.   *It's a certainty that we'll win.*
Il est évident qu'il ne vient pas.   *It's obvious that he's not coming.*
Il est vraisemblable qu'il pleuvra.   *It's likely that it'll rain (it'll probably rain).*

Exercise

Translate the following sentences. Remember that not all these verbs will be in the subjunctive.

1. It's time for those responsible *(les responsables)* to tell the truth.
2. It's possible that I'll be here tonight.
3. They say that they are good friends.
4. My parents want me to be happy in life.
5. They prefer me to make my own *(propre)* decisions.
6. I'm not staying here in case (for fear that) they come back.
7. It's true that we are living in the age of computers.
8. The developed countries must help the developing ones *(les pays en voie de développement, les PVD)*.
9. Would you like me to read out loud?
10. Although I started to read the book yesterday, I haven't finished it yet.

Solutions

1. *Il est temps que les responsables disent* (subjunctive) *la vérité.*
2. *Il est possible que je sois ici ce soir.*
3. *On dit qu'ils sont bons amis.*
4. *Mes parents veulent que je sois heureux dans la vie.*
5. *Ils préfèrent que je prenne mes propres décisions.*
6. *Je ne reste pas ici de crainte qu'ils ne rentrent* (subj.).
7. *Il est vrai que nous vivons à l'époque des ordinateurs.*
8. *Il faut que les pays industrialisés aident* (subj.) *les pays en voie de développement.*
9. *Voudriez-vous que je lise à haute voix ?*
10. *Bien que j'aie commencé à lire le roman hier, je ne l'ai pas encore fini.*

Les prépositions

About

- With **numbers** *(environ)*:
  Environ cent mille personnes habitent à Limerick.   *About one hundred thousand people live in Limerick.*

- With **time** *(vers)*:
  Je rentrerai vers dix heures.   *I'll be back at about 10 o'clock.*
  Il y arrivera vers cinq heures et demie.   *He'll get there at about 5.30.*

- Expressing an **opinion** *(de)*:
  Qu'est-ce que vous pensez de son dernier film ?   *What do you think about his latest film?*

- **Subject about which** you are thinking *(à)*:
  Elle pense à ses parents.   *She is thinking about her parents.*

- **Information** *(sur)*:
  Nous voudrions de l'information sur le coût de la vie en France.   *We'd like some information about the cost of living in France.*

> Other ways of saying **'about'** include:
> Si on prenait un café ?   *What / how about a cup of coffee?*
> Si on allait au cinéma ?   *How about going to a film?*
> De quoi s'agit-il ?   *What's it about?*
> Il s'agit d'un pauvre homme qui …   *It's about a poor man who …*

Against

- **Opposition** and feelings of **anger** *(contre)*:
  l'Irlande joue contre la Pologne.   *Ireland are playing against Poland.*
  Elle s'est fâchée contre moi.   *She got angry with me.*
  Le pharmacien m'a donné un médicament contre la grippe.   *The chemist gave me medicine for the flu.*

At

- At somebody's **workplace** or **house** *(chez)*:
  Il est chez le dentiste.   *He is at the dentist's.*
  Nous restons chez Paul.   *We're staying at Paul's (house).*

- 'At' is a general word and is used in many contexts. The usual French word is 'à':
  à la maison   *at home*
  à l'âge de quinze ans   *at the age of 15*
  à la fin   *at the end*
  à l'école   *at school*
  à six heures   *at 6 o'clock*

From

'From' is most often translated by 'de'.

- From **a place** *(de)*:
  Ils sont sortis de la maison.   *They went out of the house.*
  Marc est parti de l'école.   *Mark left school.*
  Son mari vient de Londres.   *Her husband comes from London.*

- **Dating from** *(dès, à partir de, depuis)*:
  Le bureau est ouvert à partir de lundi.   *The office is open from Monday (onwards).*
  Depuis ce jour, on s'est bien entendu.   *From that day (forward) we got on well.*

In, into

- **Cities, towns, villages** *(à)*:

  La dame habite à Moscou.   *The lady lives in Moscow.*

  Mon correspondant passe ses vacances à New Ross.   *My penpal is spending his holidays in New Ross.*

- **Countries**

  It depends on the gender of the country.

  Masculine *(au)*:
  Lisbonne se trouve au Portugal.   *Lisbon is in Portugal.*
  J'habitais aux États-Unis.   *I used to live in the US.*
  Feminine *(en)*:
  On a loué un gîte en France.   *We rented a cottage in France.*
  Pierre est en Italie.   *Peter is in Italy.*

- **Inside a place** *(dans)*:
  On joue dans ce champ.   *We're playing in this field.*
  Il y a un bistrot dans chaque rue.   *There is a pub in every street.*

- **Seasons, years** *(en, au)*:

  En hiver, en été, en automne but 'au printemps' because 'printemps' begins with a consonant.

  Je suis né en 1993.   *I was born in 1993.*

To

- **À** *(indirect object)*:

  Je parlais à Patricia.   *I was talking to Patricia.*

  La fille a présenté son copain à sa mère.   *The girl introduced her friend to her mother.*

- **Cities, towns, villages** *(à)*:
  On va à Edimbourg.   *We're going to Edinburgh.*
  Elle habite à Berlin.   *She lives in Berlin.*

- **To someone's house** or **business** *(chez)*:
  Anna est partie chez son amie.   *Anna's gone to her friend's house.*
  Vas-tu chez le dentiste ?   *Are you going to the dentist's?*

Exercise

Translate the English words in brackets.

1. J'habite *(in)* Londres *(in)* Angleterre.
2. Il y a un bon film *(on)* la télé.
3. Reste ici *(until)* demain.
4. J'y allais une fois *(a / per)* an.
5. Les Californiens viennent *(from the)* États-Unis.
6. Tout le monde va *(to)* église *(on)* dimanche.
7. Le concert aura lieu *(on)* samedi.
8. Nous y allons *(by)* car.
9. Il y a *(about)* trente élèves dans notre classe.
10. Ma tante est très malade. Elle est *(in)* hôpital.

Solutions

1. *à; en*
2. *à*
3. *jusqu'à*
4. *par*
5. *des*

6. *Tout le monde va à l'église le dimanche.*
7. *Le concert aura lieu samedi.*
8. *en*
9. *environ*
10. *à l'*

Le conditionnel *('would')*

The conditional means 'I **would** do something.' The formation is simple, provided that you know the future tense. This is because the conditional is based on the future tense.

- First, remove the endings from the future tense verbs:

je donner-	nous ser-
tu choisir-	vous aur-
il attendr-	elles ir-

key point

In the future tense, all verbs have the letter 'r' in their stems.

- Second, add the **imperfect** endings:

Donner	**Être** (irregular)
je donnerais *(I would give)*	je serais *(I would be)*
tu donnerais	tu serais
il / elle donnerait	il / elle serait
nous donnerions	nous serions
vous donneriez	vous seriez
ils / elles donneraient	ils / elles seraient

Uses: The oral

Que voudriez-vous faire après le Leaving Cert ?   *What would you like to do after the Leaving Cert?*

Quels pays aimeriez-vous visiter ?   *Which countries would you like to visit?*

Also:

Pourriez-vous me donner l'adresse, s'il vous plaît ?   *Could you give me the address, please?*

J'aimerais t'accompagner en Allemagne.   *I'd like to go with you to Germany.*

'If' sentences *(present / future)*

These sentences take the same tenses in both English and French. Look at this example:

Si je le vois aujourd'hui, je te téléphonerai.   *If I see him today, I'll phone you.*

In the 'if' clause, the tense is the **present** in both languages. In the **main clause**, i.e. 'I'll phone you', the tenses are both **future**. So as the tenses correspond in both languages, there's no problem in deciding on tenses:

François m'écrira s'il a le temps.   *François will write to me if he has the time.*

'If' sentences *(imperfect / conditional)*

This time, the tenses don't correspond nicely like those above. In this case, the rule is that when the **main clause** is in the **conditional** tense, the 'if' clause goes into the **imperfect** tense:

Si je gagnais le gros lot, je voyagerais partout dans le monde.
If I won the lotto, I would travel around the world.

L'étudiante réussirait mieux si elle travaillait plus dur.   *The student would do better if she worked harder.*

Si je m'entraînais plus, je ferais partie de l'équipe.
If I trained more, I would be on the team.

Summary:

There are two types of conditional sentences:

- 'Si' + present in the minor clause, future in the main clause.

- 'Si' + imperfect in the minor clause, conditional in the main clause.

Exercise

Translate the following sentences.

1. If you (pl.) were rich, you would not be happy.
2. We'll go out if the weather is fine.
3. If they're fit, they'll win.
4. If you don't close the window, there will be a draught *(un courant d'air)*.
5. If I got a good Leaving Cert, I'd go to university.
6. If he has the time, he will go to the tennis club.
7. If I had the money, I would buy a car.
8. If she had the time, she'd go to the cinema.

Solutions

1. *Si vous étiez riche, vous ne seriez pas heureux.*
2. *Nous sortirons s'il fait beau.*
3. *S'ils sont en forme, ils gagneront.*
4. *Si vous ne fermez pas la fenêtre, il y aura un courant d'air.*
5. *Si j'obtenais un bon Leaving Cert, j'irais à la fac.*
6. *S'il a le temps, il va au club de tennis.*
7. *Si j'avais l'argent, j'achèterais une voiture.*
8. *Si elle avait le temps, elle irait au cinéma.*

8 · Appendix

Sample listening comprehension transcripts

Sample listening comprehension 1

Section I *Track 20*

1. « J'ai tué mon fils. Comment ai-je pu l'oublier ! » La vie d'Éric Allarousse, pharmacien de 38 ans à Pont-de-Chéruy (Isère), a basculé le 15 juillet 2008. Pendant plus de deux heures, il a laissé dans sa voiture Yanis, son petit garçon de 2 ans et demi. L'enfant est mort de chaleur. Éric Allarousse a été condamné à huit mois de prison avec sursis pour homicide involontaire.

2. Comme tous les matins, Éric se rend en voiture à son officine. Mais cette fois, il doit d'abord passer chez ses beaux-parents déposer son fils qu'il installe à l'arrière du véhicule. Sur le chemin, il est témoin d'un accrochage entre une camionnette et une voiture, qui prend la fuite. Éric relève le numéro d'immatriculation et, pour le communiquer à la victime, il se gare.

3. L'homme a complètement zappé la présence de Yanis dans la voiture. Deux heures plus tard, une passante remarque la présence de l'enfant et appelle les gendarmes. Au même moment, la mère de Yanis téléphone à la pharmacie pour demander à son mari où se trouve le bébé. La mémoire revient à Éric Allarousse qui se précipite sur le parking. Trop tard. Dans un véhicule fermé, la chaleur monte en effet rapidement. À cause de leur petite taille, la température centrale des jeunes enfants peut augmenter trois à cinq fois plus vite que celle d'un adulte. Au-delà des 40°C, c'est le coup de chaleur fatal.

Section II *Track 21*

1. **Alors que la crise économique fait rage, pourquoi consacrez-vous un livre à l'eau ?**
    La crise oblige à répondre à certaines urgences comme l'emploi. Mais l'eau est aussi un enjeu crucial, bien que moins visible. Dans beaucoup de pays, les femmes et les fillettes passent 4 heures par jour à en chercher ; un humain sur six n'a pas accès à un point d'eau ; un sur deux vit sans système d'assainissement. Depuis dix ans, les conflits liés à l'eau sont plus nombreux, plus violents, à cause de la pression démographique, de l'urbanisation et de la nécessité de nourrir les gens.

    D'autant que les pays émergents se mettent en masse à manger plus de viande. Or, il faut 13 000 litres d'eau pour produire 1 kg de bœuf, contre 100 litres pour 1 kg de pommes de terre.

2. **Pourtant, vous affirmez que la planète ne va pas manquer d'eau …**
Dans neuf cas sur dix, la pénurie n'est pas due à un déficit physique. Contrairement au pétrole, l'eau est une ressource renouvelable. C'est un cycle, un jeu à trois entre l'océan, le ciel et la terre. On prélève et on rend. Mais, avec le changement climatique, ce cycle se dérègle. Les phénomènes extrêmes s'accroissent et les pluies sont plus mal réparties. Les régions sèches comme le Maghreb et l'Australie en reçoivent encore moins.

3. La Chine et l'Inde connaîtront des inondations plus meurtrières, des sécheresses plus assassines. Ce n'est pas la Terre qui aura souci avec l'eau, mais certaines régions. Surtout que l'eau est difficilement transportable sur de longues distances.
Le manque d'assainissement, dites-vous, tue encore plus que le manque d'eau …
La plupart des maladies sont causées par de l'eau contaminée par les rejets humains. L'urbanisation anarchique mène au choléra. Un réseau d'eau potable est inutile s'il n'est pas assorti d'un réseau d'assainissement.

Section III Track 22

1. **En classe, justement, quel genre d'élève es-tu ?**
Les études m'ont toujours intéressée. Je n'ai d'ailleurs jamais pris prétexte de mes activités de comédienne pour rater les cours. Au contraire … La production a même accepté de suspendre le dernier tournage quelques jours pour me permettre de passer mes examens. Je viens ainsi d'obtenir mon diplôme secondaire avec mention, l'équivalent du baccalauréat en Grande-Bretagne.

2. **Quels sont tes projets pour la rentrée ?**
À la rentrée, j'espère me retrouver sur les bancs de l'université. D'ores et déjà, j'ai envoyé des dossiers de candidature à plusieurs établissements. Je devrais avoir toutes les réponses pendant l'été, je pourrai alors faire mon choix. Je suis tellement impatiente de devenir étudiante et de me fondre dans l'anonymat du campus …

3. **Quel genre de fille es-tu ?**
Si l'on fait abstraction de ma carrière, je suis une jeune fille comme les autres. À 19 ans, j'ai quitté l'adolescence mais, d'un autre côté, je ne me sens pas encore femme. Toutes mes amies du même âge ressentent d'ailleurs la même chose. Il me faudra encore un peu de temps pour me considérer comme une adulte.

Section IV Track 23

1. **Journaliste :** Quel est votre objectif ?

   Mika : Avec le succès que j'ai en France et dans le reste de l'Europe, en Chine, au Japon … je sais à quel point il est hyper important de monter sur scène et de faire encore plus que ce que je fais sur mes disques pour prouver à tout le monde que je ne suis pas une étoile filante ! Je ne veux pas seulement avoir du succès avec mes tubes, je désire avoir une longue carrière !

2. Journaliste : Où avez-vous rencontré Lady Gaga ?

    Mika : J'ai rencontré Lady Gaga après l'un de ses shows à Los Angeles. J'écoutais beaucoup sa musique mais ça n'est qu'à partir du moment où je l'ai vue en live que je me suis rendu compte de son potentiel. J'admire le fait qu'elle écrive toutes ces choses et prenne autant soin de ce qu'elle fait. Elle a tant de concepts et gère tout ce qui concerne sa musique. C'est un atout dans ce milieu, peu de personnes savent le faire. Je sais qu'elle divise l'opinion, cependant c'est une bonne chose finalement ...

3. Journaliste : Est-ce que vos voyages ont influencé votre musique ?

    Mika : Le fait d'avoir énormément voyagé a influencé ma musique. Ça m'a donné une très forte conscience de moi-même. Mon morceau « Grace Kelly » n'aurait en aucun cas pu être fait par quelqu'un qui serait resté et aurait grandi au même endroit toute sa vie. Ça peut enlever certains de tes sens.

4. Journaliste : Votre famille a connu des problèmes financiers, n'est-ce pas ?

    Mika : À une époque ma famille a tout perdu. À la base, mon père avait un job qui lui rapportait bien. J'étais même dans une école privée à Paris mais, à un moment, nous n'avons même pas pu la payer, ni les impôts. Nous avons fini par perdre notre appartement, nous n'avions même plus de télé. J'ai tout connu, le pire et le meilleur.

Section V   Track 24

1. Le plus vieil instrument de musique connu a été découvert dans la grotte de Hohe Fels (en Allemagne). Long de 22 cm, il a été taillé dans un os de vautour fauve. Des spécimens de 30 000 ans ont déjà été mis au jour dans les Pyrénées françaises.

 Track 25

2. Les femmes qui travaillent dans un bureau courent trois fois plus de risques que leurs collègues masculins de souffrir du cou, selon une étude australienne. Peut-être parce qu'elles accumulent plus facilement les tensions musculaires. Les chercheurs conseillent des exercices préventifs d'assouplissement, trois fois par semaine.

Sample listening comprehension 2

Section I

 *Track 26*

J'aime le sport. À l'école, je joue au hockey. On a de beaux terrains de sports, on a de la chance. Ce qui me plaît beaucoup, c'est de jouer en équipe, parce que cela entraine un véritable esprit de corps. J'adore les concours ... j'ai déjà gagné des médailles d'argent. Je trouve la natation assez passionnante. Il y a aussi une piscine chauffée dans notre école. La direction loue la piscine au public le soir, mais nous l'utilisons pendant les cours. Je m'entraine pour un brevet de sauvetage. C'est un diplôme très pratique, qui me permettra de sauver des vies en piscine ou en mer. Le sport est un bon moyen de se décontracter. Il faut se défouler quand on étudie pour les examens. Apres le bac, je compte m'inscrire à un club de hockey, comme feront, quelques-unes de mes amies d'école. C'est l'occasion d'entretenir des relations amicales.

Section II

 *Track 27*

Il y a un an, une femme résidant à Besançon dans le Doubs croyait avoir gagné le jackpot à l'Euro millions. Durant trois semaines, cette mère de famille, âgée de 46 ans, a dépensé sans compter : parfums, vêtements de marque et plus encore, le tout pour une somme avoisinant les 4 000 euros. Puis elle s'est rendu compte de sa terrible erreur : ce n'était pas les bons numéros. À ce moment-là, elle a tenté de faire croire que son sac à main, dans lequel il y avait le ticket gagnant, lui avait été dérobé.

Section III

 Track 28

1. Stay with Me, 2014 : C'est l'histoire d'un type déprimé qui aimerait que ses relations d'une nuit ... restent avec lui pour le consoler. Pas très drôle, ce titre que Sam aurait écrit en moins d'une heure ... Pourtant, dès sa sortie, il s'est installé en tête des charts du monde entier.

2. I'm not the Only One, 2014 : Toujours en 2014, et toujours dans un moment de déprime, il écrit ce morceau sur un couple confronté à l'infidélité. La chanson s'est classée à la 3e place du top anglais et à la 5e position du Billboard Hot 100 (le classement hebdo des 100 chansons les plus populaires aux États-Unis).

3. Too Good at Goodbyes, 2017 : Son dernier single est encore une ballade intime inspirée par une rupture sentimentale. Il y décrit sa lente descente aux enfers, sa tristesse ... Mais pas de quoi déprimer les fans, puisque le single est resté trois semaines en tête des charts britanniques.

Section IV

Track 29

1. **Georges :** J'achète des vêtements chics et « cool », mais seulement en soldes, parce qu'ils sont bon marché. Je fais attention à ce que je porte ; je préfère ne pas porter des vêtements qui sont démodés. Quelquefois on vous taquine quand vous ne portez ni les bonnes chaussures ni le bon blouson. Je crois qu'il est bête de ne pas pouvoir porter des vêtements achetés l'année dernière parce que la mode a changé. Un autre problème, c'est qu'il y a des individus à l'étranger qui vendent des imitations ici.

2. **Martine :** Moi, je ne suis pas la mode, mais j'aime acheter des vêtements de marque de temps en temps. Il faut dire quand même qu'on attache trop d'importance à la mode. On croit être plus heureux en portant ces vêtements. C'est faux et la mode n'est pas toujours belle. Je ne juge jamais personne selon ses vêtements. Ce qui me dégoute, c'est qu'un bon nombre de ces vêtements sont fabriqués dans les pays en voie de développement par des enfants qui reçoivent très peu d'argent et qui ont une longue journée de travail.

Track 30

3. Usurper l'identité de quelqu'un est un délit puni d'un an d'emprisonnement et 15 000 euros d'amende. L'infraction est réprimée de la même façon lorsqu'elle est commise en ligne. Les escrocs s'approprient votre nom, date de naissance et parfois vos coordonnées bancaires pour générer de faux papiers (permis de conduire, carte grise, carte d'identité ou passeport, carte vitale) et les utilisent pour commettre des méfaits : opérations financières frauduleuses, infractions au Code de la route, détournement de prestations sociales, obtention d'un crédit en votre nom, etc. Vous avez six ans pour porter plainte à partir du jour ou l'infraction a été commise.

Section V

Track 31

1. La prise quotidienne d'aspirine permet de réduire le risque de développer un cancer, et notamment ceux du foie, de l'œsophage ou du pancréas, conclut une étude chinoise portant sur un échantillon de 600 000 personnes. À noter que l'ingestion répétée d'aspirine a par ailleurs des effets indésirables (comme l'hémorragie digestive).

Track 32

2. La prochaine fois que vous devrez vous faire opérer, essayez de faire en sorte que ce soit par une chirurgienne et non par un chirurgien. D'après une étude canadienne publiée dans le *British Medical Journal*, le risque de décéder dans le mois qui suit diminue alors de 12 %. Et s'il s'agit d'une opération du cœur, il vaut mieux qu'elle ait lieu l'après-midi : vous aurez deux fois moins de chances de faire une crise cardiaque, d'après une étude française publiée dans *The Lancet*.

Sample listening comprehension 3

Section I

 *Track 33*

Les smartphones ne font pas que nous simplifier la vie. Une jeune femme, âgée de 24 ans, a ainsi appris que son petit ami passait son temps sur Tinder, l'application mobile de rencontres en ligne. Pour en avoir le cœur net, elle a alors piraté ses comptes Facebook et Tinder et s'est aperçue qu'il n'arrêtait pas de draguer les filles. « Pour être honnête, je n'étais pas surprise », a expliqué Alison. Mais avant de mettre un terme à leur relation, elle a décidé de se venger. Elle a donc saboté le profil de Benjamin, son ex, sur les réseaux sociaux. Sur Tinder, les utilisatrices ont donc pu lire une nouvelle description de Benjamin, plus conforme à la réalité : « J'avais une petite-amie jusqu'à ce qu'elle découvre mon profil Tinder. Disons que je suis un infidèle chronique et que je me regarde sans arrêt dans le miroir », disait le message. « Je mens tout le temps et je n'ai aucun sens de l'humeur », a-t-elle rajouté. Une douce vengeance qui a détruit une réputation.

Section II

 Track 34

1. Le puissant séisme d'une magnitude de 8,2 survenu jeudi dernier dans le Pacifique, frappant durement le sud du Mexique, a fait au moins 96 morts dans le pays et plus de 200 blessés, principalement dans l'état d'Oaxaca, le plus affecté, où 12 000 habitations ont été endommagés.

2. C'est le plus gros amas de graisse jamais découvert dans les égouts de Londres : la compagnie des eaux Thames Water a estimé hier qu'il lui faudrait trois semaines pour évacuer ce monstrueux « fatberg » de 130 tons. L'énorme bloc est composé de graisses, de lingettes hygiéniques et de couche-culottes qui se sont agglomérées dans les canalisations situées sous une importante artère de Whitechapel.

3. Malgré les protestations des druides et des archéologues, le gouvernement britannique a donné hier son feu vert à un projet de tunnel routier près du site préhistorique de Stonehenge, classé au patrimoine mondial de l'Unesco. Censé décongestionner un axe routier important, l'ouvrage de 3 km a déjà vu son parcours modifié. L'Alliance de Stonehenge, un groupement d'ONG, redoute toutefois « des dégâts graves et irréparables au paysage archéologique ».

4. 382 millions d'euros : c'est la somme atteinte aux enchères chez Christie's, à New York, par le tableau *Salvator Mundi* de Léonard de Vinci, le 16 novembre. Ce qui en fait le tableau le plus cher de l'histoire, titre détenu auparavant par une toile de Gaugain et une de De Kooning.

Section III

1. **Thomas :** Je me suis bien amusé à l'école. Mes profs étaient sympas et très expérimentés. Le régime n'était pas trop sévère. Si on ne respectait pas le règlement, on avait des lignes à écrire, une réprimande des profs ou une colle le samedi matin. Si on ne respectait pas fréquemment le règlement, on était renvoyé chez soi et les parents étaient convoqués chez la directrice.

2. **Marie:** Je suis une rebelle ! Je ne supporte pas les règlements. Les profs me grondent tout le temps. Je ne peux pas leur en vouloir, parce qu'ils ont raison. J'arrive en retard en classe, je n'étudie guère et je dors en classe. Je suis en seconde, et mes parents m'ont prévenue que je ne serai pas reçue au bac si je ne décide pas de bosser. Ils ont raison aussi. Il me faut rattraper le temps perdu. Je fais des bêtises et manque d'attention en classe. En plus, je suis nulle dans plusieurs matières.

3. **Lucie :** J'ai trouvé l'école assez pénible. J'étais pensionnaire dans une école privée pour filles. Mes parents travaillaient à l'étranger, et je me sentais toute seule. J'ai grandi en Afrique jusqu'à quatorze ans, et puis, mes parents m'ont envoyée dans un pensionnat. D'abord, je l'ai trouvé moche et mes parents me manquaient, mais je m'y suis habituée. Coté sport, j'étais nulle. Au hockey, j'étais gardienne de but, mais j'avais froid tout le temps. Dans le domaine des études, j'ai eu beaucoup de succès au bac.

Section IV

1. **Interviewer :** Bonjour Amir. Quand on parle d'addictions, on pense souvent à la drogue et à l'alcool ...

   Amir : Ce n'est pas faux car souvent ce mot est connoté négativement ! C'est évident que pour moi mes addictions sont positives ! J'ai réussi à trouver des addictions qui sont bonnes et saines. Je suis addict à ce métier ! Je me réveille chaque matin avec une énergie incroyable parce que je suis heureux de vivre ça. J'aime partager. J'ai envie d'écrire des chansons, de monter sur scène, de rencontrer le public, etc. Sans avoir une addiction derrière tout ça, ce ne serait pas viable aussi longtemps et aussi volontairement et pleinement.

2. **Interviewer :** Qu'est-ce qui t'est arrivé de plus fou pendant un concert ?

   Amir : Pendant l'un de mes concerts, une partie de l'électricité a sauté. Nous avions encore la lumière mais plus le son ! Alors, pendant au moins 5 minutes, le public a pris la relève ! Les gens ont chanté jusqu'à ce que les techniciens règlent la panne. Ils ne se sont jamais arrêtés ! C'était incroyable. Ils bougeaient les mains en rythme ... C'était fabuleux à voir et à vivre.

3. **Interviewer :**   Que fais-tu des cadeaux que tes fans t'offrent ?

    Amir :   C'est très simple – j'envoie tous les cadeaux: même ceux qui se mangent – à ma maman ! Elle garde tout et ça m'évite de devenir énorme ! Et puis, j'achète aussi tous les magazines dans lesquels j'apparais pour les lui envoyer. Ma maman stocke tout dans un grand grenier. Je ne jette absolument rien. J'aimerais un jour montrer tout cela à mes enfants et à mes petits-enfants ! Ce que je vis est tellement incroyable … Je veux absolument garder un maximum de souvenirs de la période que je suis en train de vivre.

Section V   *Track 37*

1. L'ex-président du SC Bastia, Pierre-Marie Geronimi, a été condamné hier à 2 ans de prison avcc sursis et 30 000 euros d'amende par le tribunal correctionnel de Bastia (Haute-Corse) pour avoir utilisé les fonds d'une société pour régler des dettes de jeux. Il doit aussi rembourser 225 000 euros à la société de location de voiture Dulac qu'il dirigeait et il est interdit de gestion d'une entreprise à vie.

   Track 38

2. Un homme de 26 ans qui venait de voler son sac à un passant, lundi soir à Paris, a été poursuivi par une dizaine de témoins du vol. Rattrapé, il a été roué de coups mais aussi poignardé. Quand les policiers sont arrivés, les agresseurs avaient disparu. Hier soir, les medecins ont annoncés que sa vie n'était plus en danger.

Sample listening comprehension 4

Section I   *Track 39*

1. **Patricia :**   Je ne suis pas très sportive. Je crois que c'est ennuyeux. Ça ne m'intéresse pas tellement. Mon petit ami fait du ski en hiver, mais je ne l'accompagne pas parce que j'ai peur de la vitesse dans les descentes. Moi, je préfère les arts, surtout le théâtre. Je passe beaucoup de mon temps à répéter. J'ai joué dans toutes les pièces de théâtre à l'école. Ça me permet d'exprimer ce que je ressens.

2. **Luc :**   Je suis vachement sportif ! Je pratique toutes sortes de sport. Je crois que, pendant la scolarité, on doit tout essayer en tant qu'étudiant. Tu vois, quand on est adulte, on n'aura pas le temps de se consacrer aux loisirs à cause du boulot. D'ailleurs, ça apporte un réseau d'amis. J'ai connu pas mal de copains grâce au sport. Les sports d'équipe me plaisent, mais j'apprécie les sports individuels aussi. Je suis en pleine forme et je me sens plus sûr de moi ; deux bons avantages de prendre part à ces activités. Je ne vois vraiment aucun inconvénient au sport. Je ne peux pas m'en passer. Le sport me donne un but pour sortir du lit.

Section II

Track 40

1. **David :** À mon avis, la mode est ridicule. Elle remplace le caractère et l'individualité d'une personne, parce qu'on met trop l'accent sur son apparence. Il ne faut pas se fier aux apparences. Pour bien des jeunes, les marques sont plus importantes que l'amitié. Ça m'agace. Quand je rentre chez moi après les cours, je me change et je mets des vêtements plus confortables, c'est-à-dire, mes bottes, un sweat, mon jean et mon blouson noir. J'ai même acheté mon blouson d'occasion. Un jean et un sweat, ça n'a pas l'air démodé.

2. **Jeanne :** J'aime la mode, surtout quand je sors avec mes copines le weekend. Je porte des vêtements à la mode parce que je me sens bien dans ma peau. Ces vêtements sont de bonne qualité et ils coûtent cher. Quand mes amis et moi faisons du lèche-vitrine, je trouve difficile de résister aux soldes. Il faut admettre que je n'achète jamais de vêtements sans marques. Heureusement, j'ai un boulot et donc j'ai les moyens d'acheter ces vêtements.

Section III

Track 41

1. **Interviewer :** J'ai vu sur les réseaux sociaux que tu prenais des cours de danse ! Tu nous prépares une surprise ?

   Louane : Non ! J'apprends simplement pour rigoler ! Je ne prévois pas du tout de danser dans un clip ou sur scène. Je prends des cours parce que ça me fait rire et uniquement pour ça ! Rien d'autre n'est prévu pour le moment.

2. **Interviewer :** Il ne vaut mieux pas alors que je te parle de *Danse Avec Les Stars* !

   Louane : Non ! J'essaie d'apprendre parce que cela m'amuse, mais de là à aller souffrir sur le parquet de *Danse Avec Les Stars*, non. Je ne suis vraiment pas assez douée pour ça. Je n'ai pas envie de faire un truc quand je sais que je vais me ridiculiser !

3. **Interviewer :** Tu chantes presque exclusivement en français. Pourquoi ?

   Louane : Dans mon album, j'ai deux textes en anglais. Le but n'était pas vraiment de faire de l'international mais plutôt parce que les chansons fonctionnaient bien comme ça. Il n'y a aucune pression à ce niveau-là. J'aime bien chanter en français ! C'est vraiment cool. Je pense qu'il y a beaucoup de choses à découvrir dans la langue française. Je ne suis qu'au début et j'ai hâte de voir tout ce qu'il peut encore y avoir là-dedans !

4. **Interviewer :** Ta carrière te conduit souvent à l'étranger. Pourrais-tu te laisser tenter par une carrière internationale ?

   Louane : À vrai dire, ce n'est pas mon premier objectif. Si ça arrive, tant mieux, mais ce n'est pas une chose à laquelle j'aspire particulièrement.

Section IV

 Track 42

1. **Yves :** Faire les courses, ça m'agace. C'est pas marrant ! Ma mère m'oblige à l'accompagner chaque samedi à la grande surface. Elle veut que je l'aide à porter les provisions. Cela m'est égal, mais on étouffe au supermarché. Il y fait toujours si chaud. Et les chariots ? Pourquoi est-ce que les quatre roues ne roulent jamais dans la même direction ? De plus, il faut faire la queue pendant au moins vingt minutes à la caisse. La grande surface est bondée le samedi, il y a plein de monde.

2. **Caroline :** De temps en temps, mes amis et moi nous rencontrons en ville pour faire une balade. D'habitude on y va le jeudi, quand les magasins ne sont pas pleins à craquer. On a alors plus de temps pour flâner dans les rayons des grands magasins. J'aime ce genre de magasin, parce qu'on a un grand choix sous un seul toit.

3. **Martin :** Ben alors, comme je suis célibataire et que j'habite tout seul, je fais mes courses au marché parce qu'il me faut peu de choses. J'y achète mes provisions parce que la qualité des légumes et des fruits est d'un très haut niveau. Je passe chez le pharmacien pour acheter des tubes de dentifrice, des lames de rasoir et du savon. Je ne vais jamais à l'hypermarché faire des achats. Ça m'énerve.

Section V

 Track 43

1. Apres avoir prélevé et analysé des rats bruns dans le parc de Chanteraines à Gennevilliers, des chercheurs de l'Inra, de Vet-Agro Sup et de l'institut Pasteur se sont aperçus que 56 % d'entre eux étaient résistants génétiquement aux raticides.

 Track 44

2. C'est l'épilogue de décennies de revendications de la part des aborigènes Anangus : le 26 octobre 2019, plus personne n'aura le droit de gravir Uluru, étonnante formation rocheuse de 348 mètres de hauteur plantée en plein centre de l'Australie, devenue l'une des principales attractions du pays. Depuis que le gouvernement en a transféré la propriété aux Anangus en 1985, ceux-ci soutiennent qu'Uluru étant sacré, toute présence humaine y est sacrilège.

Solutions to sample listening comprehensions

Sample listening comprehension 1

Section I
1. (i) 15 July 2008.
   (ii) Eight months' suspended sentence *(for involuntary homicide)*.
2. (i) His in-laws'.
   (ii) A traffic collision between a van and a car.
3. (i) His child was still in the car.
   (ii) The body heat of a child can increase three to five times faster than in an adult.

Section II
1. (i) Two of: Women and young girls spend four hours a day looking for water.
   One person in six has no access to water.
   One person in two lives without a system of water decontamination.
   (ii) Two of: Increase in population.
   Urbanisation.
   Necessity to feed people.
   (iii) More people are eating meat *(it takes 13,000 litres of water to produce 1 kg of beef)*.
2. Water is a renewable resource, oil isn't.
3. (i) Worse flooding and droughts.
   (ii) Contaminated water *(due to human waste)*.

Section III
1. (i) She never used the excuse of acting to miss classes.
   (ii) They postponed filming for a few days to allow her to sit her exams.
2. (i) She has sent application forms to several colleges.
   (ii) A student *(and immerse herself in the anonymity of campus life)*.
3. She doesn't feel like an adult yet. She feels that she is the same as any other girl.

Section IV
1. (i) He does more on stage than on his CDs.
   (ii) A long career.
2. (i) When he saw her live.
   (ii) Two of: She writes all her material.
   She takes great care with what she does.
   She has so many ideas.
   She manages everything to do with her music.
3. If he had grown up in the same place all his life.
4. They could not afford to pay school fees or taxes.
   They lost their flat, and even their television set.

Section V
1. (i) Germany.
   (ii) 30,000 years old.
2. (i) Neck pain.
   (ii) Relaxing exercises three times a week.

Sample listening comprehension 2

Section I
1. Because they promote / involve team spirit.
2. Silver medals.
3. A life-saving certificate.
4. To keep up friendships.

Section II
1. She thought she had won the Euro-millions.
2. She spent 4,000 euros on perfume and designer clothes.
3. She said that her handbag, with the winning ticket inside, had been stolen.

Section III
1. (i) He would like his one-night stands to console him.
   (ii) Less than an hour.
   (iii) Number one throughout the world.
2. (i) Third.
   (ii) The weekly music chart of the United States' Top 100.
3. (i) An emotional break-up.
   (ii) Sadness *(his slow descent into hell)*.

Section IV
1. (i) Clothes that are out of date.
   (ii) Not to wear clothes bought the previous year, simply because the fashion has changed.
2. (i) People think that they are happier when wearing these clothes.
   (ii) That many of these clothes are made in developing countries with child labour.
3. (i) One year in prison or a 15,000 euro fine.
   (ii) Your date of birth / bank details.
   (iii) Six years.

Section V
1. (i) It reduces the risk of cancer, mainly of the liver, oesophagus and pancreas.
   (ii) 600,000.
2. (i) It's better to have your operation done by a female surgeon; it reduces the risk of death by 12% in the following month.
   (ii) Patients are two times less likely / half as likely to have a heart attack.

Sample listening comprehension 3

Section I
1. He was spending a lot of time chatting up girls on Tinder.
2. She sabotaged his online profile / she wrote things about her ex, as though he had written them.
3. Two of: An unfaithful person; always looking at himself in the mirror; tells lies; has no sense of humour.

Section II
1. (i) 96.
   (ii) 12,000.
2. (i) The sewers under Whitechapel.
   (ii) 130.
3. (i) Building a road tunnel near the site of Stonehenge.
   (ii) As a World Heritage site.
4. 382 million euros.

Section III
1. They would be sent home and their parents would be summoned by the Principal.
2. (i) Two of: They are right; she is late for class; she hardly ever studies; she sleeps in class; she acts the fool; she doesn't pay attention in class.
   (ii) That if she doesn't study, she won't get a good Leaving Cert.
3. (i) Her parents sent her to boarding school.
   (ii) One of: It was difficult / awful; she felt lonely / missed her parents.
   (iii) Goalkeeper.
   (iv) She was always cold / didn't know what to do.

Section IV
1. (i) His job.
   (ii) Two of: Write songs; go on stage; meet the public.
2. (i) The electricity blew out / there was a blackout; they had light but no sound.
   (ii) They sang (*until power was restored*) / they took over by singing.
3. (i) He gives them to his mother.
   (ii) In the attic.

Section V
1. (i) A two-year suspended sentence with a 30,000 euro fine.
   (ii) A car rental company.
2. (i) He stole a handbag.
   (ii) They chased him down the road.
   (iii) One of: They beat him; they stabbed him.

Sample listening comprehension 4

Section I
1. (i) Because she's afraid of the speed going down the slopes.
   (ii) It enables her to express what she feels.
2. (i) Because when you are an adult, you won't have time to pursue leisure due to your job.
   (ii) One of: He is fit / in good shape; he feels confident.

Section II
1. (i) It replaces a person's character; For many people, clothes are more important than friendships.
   (ii) Boots; a jacket.
2. (i) One of: They make her feel good; they are of good quality.
   (ii) Sales.
   (iii) Non-designer clothes.

Section III
1. (i) Just for fun.
   (ii) She's not cut out for it / she doesn't want to make a fool of herself.
2. Two of: Her songs work better that way; there's no pressure at that level; she loves singing in French; it's cool to sing in French; there are things to discover in the French language.
3. It's not her main ambition / not something she aspires to.

Section IV
1. (i) Two of: It's boring; his mother makes him go shopping with her; it's so stuffy in the shopping centre; the wheels of the trolleys never go in the same direction.
   (ii) Queue at the check-out.
2. (i) Because the shops are less crowded and they have more time to stroll around the displays.
   (ii) There is a huge range under one roof.
3. (i) One of: Because he only needs a few things; the quality of the fruit and vegetables is very high.
   (ii) Two of: Toothpaste; razor blades; soap.

Section V
1. The proportion of rats resistant to rat poison.
2. (i) Nobody will be allowed to climb Uluru again.
   (ii) 348 metres.
   (iii) It transferred ownership of Uluru to the Australian Aboriginals.

Solutions to sample journalistic comprehension questions

Journalistic comprehension 1

1. (i) Ils réclament la libération de huit anciens ministres catalans.
   (ii) Parce qu'ils trouvent cela barbare / ce n'est pas dans leur manière de vivre.
2. Parce que l'Espagne ne les respecte pas leur culture / leur différence.
3. Avoir des lois pour protéger les plus pauvres.
   Favoriser l'égalité entre les hommes et les femmes.
4. Ils peuvent gérer leur propre police.
   Leur système de santé, leur système éducatif.
5. (i) Franquiste / forte / catalane.
   (ii) Un meilleur avenir.
       Plus de travail.
6. Two of: **Reasons why they would be different:**
   Spain would have no legal hold over Catalonia, and therefore couldn't arrest their politicians.
   Catalonia could make their own laws.
   Their institutions would be independent.
   They could protect their culture.
   They could protect their own poor.
   They could bring about equality between men and women.
   They could control their own finances.
   Reasons why there would be little change:
   The Catalans already control the vital areas of health and education.
   They also control their own police force.
   School lessons are already conducted in Catalan, not Spanish.
   It may not be realistic to expect Catalonia to make proper economic decisions.
   There is no certainty that there would be more jobs after independence.

Journalistic comprehension 2

1. Two of: Moins vous avez de risques d'être confronté au chômage.
   Avoir accès au savoir.
2. Two of: Les amphis *(lecture halls)* sont trop petits.
       Le manque d'espace en bibliothèque universitaire.
       Le maigreur des bourses *(the meagreness of the grants)*.
       Les erreurs d'aiguillage.
3. (i) Le fils de patron a … d'ouvrier.
   (ii) (a) Des facs.
       (b) Bien rémunéré.
4. Vous mettrez un … trouver un emploi
5. (i) Être confronté.
   (ii) Se cramponner / s'ouvrait / s'occuper.

6. Two of: Much less chance of being unemployed with a university degree (*'moins vous risquez de vous retrouver au chômage'*).

    The days of a permanent manual job for life are over. You must have 'accès au savoir' and be flexible and qualified.

    Universities are democratic. The son of an employer has as much chance of getting into a third-level college as the son of a worker (*'le fils de patron a ... un fils d'ouvrier'*).

Journalistic comprehension 3

1. (i) Les banques elles doivent respecter les directives d'une super-banque centrale. Les banques / elles ne peuvent pas faire n'importe quoi.
   (ii) Les bitcoins sont uniquement virtuels.
2. (i) Leur nombre est strictement limité / il n'y en aura jamais plus de 21 millions en circulation.
   (ii) C'est payant.
3. (i) Certains estiment que les banques ne donnent pas assez d'informations sur claette gestion des comptes.
   (ii) (d)
4. (i) Automatiquement / alors.
   (ii) Lors d'une commande sur Internet.
5. Impossible de tricher.
6. Two of: There are no notes or coins.

    They cannot cause a financial crisis, because they are limited in supply.

    Because they are virtual, technical experts can do checks to prevent fraud or 'bugs'.

    Users have control over their money.

    There's no need for a cheque book or credit card, just a personal code.

    It's impossible to cheat with bitcoins.

Journalistic comprehension 4

1. (i) Le développement du commerce international.
   (ii) Le choc pétrolier des années 70.
2. (i) Les firmes ... en développement.
   (ii) (d)
3. Tout le monde y gagne.
4. (i) Il conserve les pouvoirs fiscal et budgétaire. / Il conserve le pouvoir monétaire.
   (ii) (a) Les marchandises.
       (b) La rentabilité.
5. (i) Entreprises.
   (ii) Se banalise / se fait.
6. At first, Western companies invest heavily in poorer countries (*'les firmes occidentales investissaient dans les pays en développement'*). Then local companies grow and expand into the rich countries. These poorer states develop their economies and import as much as they export (*'ces pays importent autant qu'ils exportent'*). Everyone wins (*'tout le monde y gagne'*).

Journalistic comprehension 5

1. (i) Incroyable odyssée à bord de Solar Impulse / son tour du monde en avion solaire.
   (ii) Two of: Trop bruyant; trop polluant; moins plaisant à piloter.
2. (i) Two of: Plus silencieux; plus vif à accélération; plus agréable à conduire; plus efficace.
   (ii) One of: De manquer d'ambition dans leurs objectifs environnementaux / de défendre (d'abord) des normes d'homologations laxistes.
3. On ne peut pas rester les bras croisés.
4. (a)
5. (i) Appartenaient.
   (ii) Le 'plein' me revient à 4 euros et me permet de rouler 200 kilomètres.
6. Two of: **Reasons for:**
   It's quieter.
   There is better acceleration.
   The cars are more pleasant to drive.
   The cars are more efficient.
   The energy yield or output is much greater (97%) than with a petrol car (27%).
   It consumes four times less energy.
   It's environmentally friendly / less polluting.
   Reasons against:
   The problem of disposing of batteries.
   Car companies are very slow to move away from fossil fuel cars to electric.

Journalistic comprehension 6

1. (i) Le premier jeu à faire polémique date de l'époque des pixels en 1976.
   (ii) Le joueur incarne le personnage / il porte l'arme comme s'il actionnait lui-même / il évolue dans un milieu en trois dimensions.
2. (i) Devant un film, il est passif / il observe ; dans un jeu, c'est lui qui contrôle les actions et les images, il est donc l'auteur de cette violence.
   (ii) L'échec scolaire.
3. (i) La matière grise des joueurs serait augmentée.
   (ii) Serait
4. (i) Tous ne basculent pas dans la violence.
   (ii) Moitié.
5. Durant les périodes de fortes ventes de jeux vidéo, les crimes seraient en baisse dans les villes universitaires.
6. Two of: **Reasons for:**
   The player becomes the character in the game, and carries out the violence.
   The effects accumulate and are lasting.
   The games are addictive; a player can be addicted after 30 hours in a week. This addiction causes school failure.

Reasons against:

Games teach the player to be active.

Games increase brain activity, improving spatial perception, memory, strategy, and hand movements.

Over half of French people aged 10–65 regularly play games, but do not become violent.

Sales of guns and social marginalisation are the causes of violence.

While sales of games increased in the USA, crime decreased.

Journalistic comprehension 7

1. (i)   Les mineurs
    (ii) Two of: Incessantes agressions morales ; exploitation des failles du droit à l'oubli ; l'usurpation de l'identité numérique ; le revenge porn ; des sextos ; le stalking ; espionnage d'autrui; inondé de messages ; la simple violence des propos déguisés en faux troll.
2. (i)   Une victime qui ne peut facilement se défendre seule (« pas » is *not essential* when using « pouvoir »).
    (ii) Parce que les enfants et les adolescents fournissent facilement ces éléments sur les profils des réseaux sociaux ou dans les discussions en ligne *(alors qu'ils ne le font pas dans la vie réelle)*.
3. (i)   Two of: Paramétrer un maximum d'éléments au niveau le plus restrictif ; paramétrer la visibilité de son compte à des amis uniquement ; refuser d'être indexé par d'autres sites web ; limiter la visibilité de sa photo de profil à sa liste de contacts ; refuser les demandes de personnes qui ne sont pas dans cette liste ; protéger ses tweets ; refuser de recevoir des questions anonymes.
    (ii) Portables / sociaux / préférés.
4. Un mot de passe doit rester strictement privé et confidentiel; à la fin de chaque utilisation, il faut penser à se déconnecter de sa session.
5. (a)
6. Two of:
    Only allow your friends to see your account on Facebook.
    Only allow a special list of contacts to see your photo, and refuse requests from people not on this list.
    Protect your tweets so that they don't become public.
    Keep your password private.
    Disconnect your computer *(and phone)* when you have finished your session.

Journalistic comprehension 8

1. (i)   La skyline est hérissée de buildings de marbre et de verre; Il y a des galeries marchandes illuminées.
    (ii) *(Sur les murs des écoles)* de gigantesques fresques représentent des soldats sanguinaires. / *(Sans les manuels scolaires où)* un oncle Sam bedonnant s'apprête

à dévorer un globe terrestre piqué sur une fourchette. / À chaque instant, tout rappelle qu'il faut combattre pour la patrie contre l'ennemi américain.

2. (i) Son génération n'a pas connu les années des luttes, de la faim; il y a moins des marchandises importées.

   (ii) Notre nation produit ce qu'elle consomme; Toutes les marchandises étaient importées de Chine, la plupart sont aujourd'hui « Made in Korea ».

3. Two of: Yaourts liquides; cartables d'écoliers; doudounes; téléphones portables; panneaux scolaires; bus; rames de métro.

4. Leur jeune dirigeant / Kim Jung-un.

5. (i) Laissant.

   (ii) Les menaces de Donald Trump.

6. Two of: **I agree:**

   The skyline of Pyongyang is not as drab as it used to be, with marble and glass buildings.

   Bright shopping arcades.

   They have 5 TV channels.

   The present generation never experienced the famine of the 1990s.

   They can produce all they need, instead of importing from China.

   Well-stocked shops and supermarkets.

   People wear bright clothes.

   Economic growth of 3.9% in 2016.

   Improvements in medical and entertainment infrastructure.

   More leisure.

   More technology.

   I disagree:

   They are still in a permanent state of war.

   School books and walls contain aggressive anti-American propaganda.

   Songs, TV and films all reflect the same attitude.

   No internet.

Solutions to sample literary comprehension questions

Literary comprehension 1

1. (i) Cela en devenait inquiétant.

   (ii) Les bâtiments, à moitié élevés.

2. Ce faubourg sale, ces sombres rues d'hiver ou de boue ou de poussière, ces rues d'usines.

3. (i) (d)

   (ii) Ils préfèrent rester, cachés, dans leurs beaux appartements. Ils n'en sortent qu'en cas d'extrême nécessité, par groupes de dix ou quinze.

   (iii) Vous assombrissez le paysage.

4. (i)   Je ne plaisante pas.
    (ii) Édifiée.
5. (i)   Habitants.
    (ii) Appartements.
6. Buildings are only half finished (*'à moitié élevés'*).
    Nobody wants to buy a home there (*'plus personne n'achète des lotissements'*).
    Some people would like to leave (*'Les habitants du quartier voudraient même le quitter'*).
    People only leave their flats in extreme cases, and in groups.

Literary comprehension 2

1. (i)   Mes yeux se mirent à cligner parce que la lumière leur faisait mal.
    (ii) Le plus petit … son pantalon: c'était nerveux.
2. (i)   Ils n'écoutaient pas les réponses; À Juan ils ne demandèrent rien.
    (ii) À cause des papiers qu'on avait trouvés dans sa veste.
3. (i)   Parce qu'il n'a rien fait.
    (ii) One of: Regarda / dit / écrivirent / firent / mîmes / demanda / répondit.
4. (b)
5. (i)   Pris part.
    (ii) Ils se taisaient.
6. Yes, because the light in the room dazzled them.
    The military judges were not interested in the prisoners' statements because it
    seemed that they had already decided on their guilt.
    They were made to stand for three hours (*'Ça dura près de trois heures'*).
    There was no interrogation, just a judgment (*'C'était le jugement'*).
    The guards were abrupt and unpleasant (*'Un gardien le fit taire et l'emmena'* – *A guard
    shut him up and took him away*).

Literary comprehension 3

1. (i)   Ses vêtements trop larges.
    (ii) Je n'ose plus.
2. Two of: ses affaires; sa fortune; ses plaisirs; le théâtre; la peinture; la musique la
    politique; les questions industrielles.
3. (i)   Je ne me mêle jamais au public.
    (ii) Two of: J'adore ces falaises d'Étretat. Je n'en connais pas de plus belles. /
          'Une admirable route entre le ciel et la mer.
          Mes meilleurs jours sont ceux que j'ai passés, étendu sur une pente d'herbes à
          cent mètres au-dessus des vagues.
4. Faites.
5. (i)   Hommes.
    (ii) Falaises.
6. He stammered a lot (*'il balbutia'*).
    He was greatly perturbed by the steps he had undertaken (*'je suis très troublé par la
    démarche que j'entreprends'*).

He suddenly felt that he shouldn't say any more. He was afraid of being taken for a fool *('vous allez me prendre pour un fou')*.

He rambles on about the everyday trivia that people occupy themselves with.

Literary comprehension 4

1. (i) Riant et pleurant, elles se jetèrent dans les bras l'une de l'autre.
   Elles ont crié: « il est vivant ! il est vivant ! »
   (ii) Léa et Camille eurent un sommeil paisible.
2. (i) Sa camionnette faisait un tel bruit qu'on était averti de son arrivée plusieurs minutes à l'avance.
   (ii) avec un large sourire
3. Un (beau) rôti / du foie de veau / une terrine du lièvre.
4. (i) (b)
   (ii) vous vous souvenez
5. (i) bonnes pour quelques-uns seulement
   (ii) depuis la vague d'arrestations, de déportations et d'exécutions en Gironde, Aristide et les autres ont bien du mal à trouver des volontaires.
6. Two of:
   People like Camille and Léa have to wait for coded radio messsages to find out if their loved ones are still alive.
   Albert, the butcher, hadn't made a delivery to the women for nearly a month.
   According to Albert, people can't do what they want nowadays.
   Without Albert, the women wouldn't get meat.
   They don't have real coffee to drink, only 'almost coffee'.
   The maquis had to free the Lefèvre brothers from hospital.
   There are traitors who give up their friends to the Gestapo.
   They have to suffer days of anguish before good news arrives from London by radio.
   17 young men were shot by the Gestapo.
   Only a few people receive good news.
   There have been arrests, deportations and executions.

Verb tables

Regular verbs

Infinitif	Présent	Passé composé	Conditionnel	Passé simple
donner *(to give)*	je donne	j'ai donné	je donnerais	je donnai
	tu donnes	tu as donné	tu donnerais	tu donnas
	il / elle / on donne	il / elle / on a donné	il / elle / on donnerait	il / elle / on donna
	nous donnons	nous avons donné	nous donnerions	nous donnâmes
	vous donnez	vous avez donné	vous donneriez	vous donnâtes
	ils / elles donnent	ils / elles ont donné	ils / elles donneraient	ils / elles donnèrent

	Présent (subjonctif)	Imparfait	Futur simple	
	que je donne	je donnais	je donnerai	
	que tu donnes	tu donnais	tu donneras	
	qu'il / elle / on donne	il / elle / on donnait	il / elle / on donnera	
	que nous donnions	nous donnions	nous donnerons	
	que vous donniez	vous donniez	vous donnerez	
	qu'ils / elles donnent	ils / elles donnaient	ils / elles donneront	

Infinitif	Présent	Passé composé	Conditionnel	Passé simple
finir *(to finish)*	je finis	j'ai fini	je finirais	je finis
	tu finis	tu as fini	tu finirais	tu finis
	il / elle / on finit	il / elle / on a fini	il / elle / on finirait	il / elle / on finit
	nous finissons	nous avons fini	nous finirions	nous finîmes
	vous finissez	vous avez fini	vous finiriez	vous finîtes
	ils / elles finissent	ils / elles ont fini	ils / elles finiraient	ils / elles finirent

	Présent (subjonctif)	Imparfait	Futur simple	
	que je finisse	je finissais	je finirai	
	que tu finisses	tu finissais	tu finiras	
	qu'il / elle / on finisse	il / elle / on finissait	il / elle / on finira	
	que nous finissions	nous finissions	nous finirons	
	que vous finissiez	vous finissiez	vous finirez	
	qu'ils / elles finissent	ils / elles finissaient	ils / elles finiront	

Infinitif	Présent	Passé composé	Conditionnel	Passé simple
vendre *(to sell)*	je vends	j'ai vendu	je vendrais	je vendis
	tu vends	tu as vendu	tu vendrais	tu vendis
	il / elle / on vend	il / elle / on a vendu	il / elle / on vendrait	il / elle / on vendit
	nous vendons	nous avons vendu	nous vendrions	nous vendîmes
	vous vendez	vous avez vendu	vous vendriez	vous vendîtes
	ils / elles vendent	ils / elles ont vendu	ils / elles vendraient	ils / elles vendirent

	Présent (subjonctif)	Imparfait	Futur simple	
	que je vende	je vendais	je vendrai	
	que tu vendes	tu vendais	tu vendras	
	qu'il / elle / on vende	il / elle / on vendait	il / elle / on vendra	
	que nous vendions	nous vendions	nous vendrons	
	que vous vendiez	vous vendiez	vous vendrez	
	qu'ils / elles vendent	ils / elles vendaient	ils / elles vendront	

Irregular verbs

Infinitif	Présent	Passé composé	Conditionnel	Passé simple
aller *(to go)*	je vais	je suis allé(e)	j'irais	j'allai
	tu vas	tu es allé(e)	tu irais	tu allas
	il / elle / on va	il / elle / on est allé(e)	il / elle / on irait	il / elle / on alla
	nous allons	nous sommes allé(e)s	nous irions	nous allâmes
	vous allez	vous êtes allé(e)(s)	vous iriez	vous allâtes
	ils / elles vont	ils / elles sont allé(e)s	ils / elles iraient	ils / elles allèrent

Présent (subjonctif)	Imparfait	Futur simple
que j'aille	j'allais	j'irai
que tu ailles	tu allais	tu iras
qu'il / elle / on aille	il / elle / on allait	il / elle / on ira
que nous allions	nous allions	nous irons
que vous alliez	vous alliez	vous irez
qu'ils / elles aillent	ils / elles allaient	ils / elles iront

Infinitif	Présent	Passé composé	Conditionnel	Passé simple
avoir *(to have)*	j'ai	j'ai eu	j'aurais	j'eus
	tu as	tu as eu	tu aurais	tu eus
	il / elle / on a	il / elle / on a eu	il / elle / on aurait	il / elle / on eut
	nous avons	nous avons eu	nous aurions	nous eûmes
	vous avez	vous avez eu	vous auriez	vous eûtes
	ils / elles ont	ils / elles ont eu	ils / elles auraient	ils / elles eurent

Présent (subjonctif)	Imparfait	Futur simple
que j'aie	j'avais	j'aurai
que tu aies	tu avais	tu auras
qu'il / elle / on ait	il / elle / on avait	il / elle / on aura
que nous ayons	nous avions	nous aurons
que vous ayez	vous aviez	vous aurez
qu'ils / elles aient	ils / elles avaient	ils / elles auront

Infinitif	Présent	Passé composé	Conditionnel	Passé simple
boire *(to drink)*	je bois	j'ai bu	je boirais	je bus
	tu bois	tu as bu	tu boirais	tu bus
	il / elle / on boit	il / elle / on a bu	il / elle / on boirait	il / elle / on but
	nous buvons	nous avons bu	nous boirions	nous bûmes
	vous buvez	vous avez bu	vous boiriez	vous bûtes
	ils / elles boivent	ils / elles ont bu	ils / elles boiraient	ils / elles burent

Présent (subjonctif)	Imparfait	Futur simple
que je boive	je buvais	je boirai
que tu boives	tu buvais	tu boiras
qu'il / elle / on boive	il / elle / on buvait	il / elle / on boira
que nous buvions	nous buvions	nous boirons
que vous buviez	vous buviez	vous boirez
qu'ils / elles boivent	ils / elles buvaient	ils / elles boiront

Infinitif	Présent	Passé composé	Conditionnel	Passé simple
croire (to believe, to think)	je crois	j'ai cru	je croirais	je crus
	tu crois	tu as cru	tu croirais	tu crus
	il / elle / on croit	il / elle / on a cru	il / elle / on croirait	il / elle / on crut
	nous croyons	nous avons cru	nous croirions	nous crûmes
	vous croyez	vous avez cru	vous croiriez	vous crûtes
	ils / elles croient	ils / elles ont cru	ils / elles croiraient	ils / elles crurent

	Présent (subjonctif)	Imparfait	Futur simple
	que je croie	je croyais	je croirai
	que tu croies	tu croyais	tu croiras
	qu'il / elle / on croie	il / elle / on croyait	il / elle / on croira
	que nous croyions	nous croyions	nous croirons
	que vous croyiez	vous croyiez	vous croirez
	qu'ils / elles croient	ils / elles croyaient	ils / elles croiront

Infinitif	Présent	Passé composé	Conditionnel	Passé simple
devoir (to have to)	je dois	j'ai dû	je devrais	je dus
	tu dois	tu as dû	tu devrais	tu dus
	il / elle / on doit	il / elle / on a dû	il / elle / on devrait	il / elle / on dut
	nous devons	nous avons dû	nous devrions	nous dûmes
	vous devez	vous avez dû	vous devriez	vous dûtes
	ils / elles doivent	ils / elles ont dû	ils / elles devraient	ils / elles durent

	Présent (subjonctif)	Imparfait	Futur simple
	que je doive	je devais	je devrai
	que tu doives	tu devais	tu devras
	qu'il / elle / on doive	il / elle / on devait	il / elle / on devra
	que nous devions	nous devions	nous devrons
	que vous deviez	vous deviez	vous devrez
	qu'ils / elles doivent	ils / elles devaient	ils / elles devront

Infinitif	Présent	Passé composé	Conditionnel	Passé simple
dire (to say)	je dis	j'ai dit	je dirais	je dis
	tu dis	tu as dit	tu dirais	tu dis
	il / elle / on dit	il / elle / on a dit	il / elle / on dirait	il / elle / on dit
	nous disons	nous avons dit	nous dirions	nous dîmes
	vous dites	vous avez dit	vous diriez	vous dîtes
	ils / elles disent	ils / elles ont dit	ils / elles diraient	ils / elles dirent

	Présent (subjonctif)	Imparfait	Futur simple
	que je dise	je disais	je dirai
	que tu dises	tu disais	tu diras
	qu'il / elle / on dise	il / elle / on disait	il / elle / on dira
	que nous disions	nous disions	nous dirons
	que vous disiez	vous disiez	vous direz
	qu'ils / elles disent	ils / elles disaient	ils / elles diront

Infinitif	Présent	Passé composé	Imparfait	Futur simple
écrire *(to write)*	j'écris	j'ai écrit	j'écrivais	j'écrirai
	tu écris	tu as écrit	tu écrivais	tu écriras
	il / elle / on écrit	il / elle / on a écrit	il / elle / on écrivait	il / elle / on écrira
	nous écrivons	nous avons écrit	nous écrivions	nous écrirons
	vous écrivez	vous avez écrit	vous écriviez	vous écrirez
	ils / elles écrivent	ils / elles ont écrit	ils / elles écrivaient	ils / elles écriront

Conditionnel
j'écrirais
tu écrirais
il / elle / on écrirait
nous écririons
vous écririez
ils / elles écriraient

Infinitif	Présent	Passé composé	Conditionnel	Passé simple
être *(to be)*	je suis	j'ai été	je serais	je fus
	tu es	tu as été	tu serais	tu fus
	il / elle / on est	il / elle / on a été	il / elle / on serait	il / elle / on fut
	nous sommes	nous avons été	nous serions	nous fûmes
	vous êtes	vous avez été	vous seriez	vous fûtes
	ils / elles sont	ils / elles ont été	ils / elles seraient	ils / elles furent

Présent (subjonctif)	Imparfait	Futur simple
que je sois	j'étais	je serai
que tu sois	tu étais	tu seras
qu'il / elle / on soit	il / elle / on était	il / elle / on sera
que nous soyons	nous étions	nous serons
que vous soyez	vous étiez	vous serez
qu'ils / elles soient	ils / elles étaient	ils / elles seront

Infinitif	Présent	Passé composé	Conditionnel	Passé simple
faire *(to do, make)*	je fais	j'ai fait	je ferais	je fis
	tu fais	tu as fait	tu ferais	tu fis
	il / elle / on fait	il / elle / on a fait	il / elle / on ferait	il / elle / on fit
	nous faisons	nous avons fait	nous ferions	nous fîmes
	vous faites	vous avez fait	vous feriez	vous fîtes
	ils / elles font	ils / elles ont fait	ils / elles feraient	ils / elles firent

Présent (subjonctif)	Imparfait	Futur simple
que je fasse	je faisais	je ferai
que tu fasses	tu faisais	tu feras
qu'il / elle / on fasse	il / elle / on faisait	il / elle / on fera
que nous fassions	nous faisions	nous ferons
que vous fassiez	vous faisiez	vous ferez
qu'ils / elles fassent	ils / elles faisaient	ils / elles feront

Infinitif	Présent	Passé composé	Conditionnel	Passé simple
lire *(to read)*	je lis	j'ai lu	je lirais	je lus
	tu lis	tu as lu	tu lirais	tu lus
	il / elle / on lit	il / elle / on a lu	il / elle / on lirait	il / elle / on lut
	nous lisons	nous avons lu	nous lirions	nous lûmes
	vous lisez	vous avez lu	vous liriez	vous lûtes
	ils / elles lisent	ils / elles ont lu	ils / elles liraient	ils / elles lurent

	Présent (subjonctif)	Imparfait	Futur simple	
	que je lise	je lisais	je lirai	
	que tu lises	tu lisais	tu liras	
	qu'il / elle / on lise	il / elle / on lisait	il / elle / on lira	
	que nous lisions	nous lisions	nous lirons	
	que vous lisiez	vous lisiez	vous lirez	
	qu'ils / elles lisent	ils / elles lisaient	ils / elles liront	

Infinitif	Présent	Passé composé	Conditionnel	Passé simple
mettre *(to put, put on)*	je mets	j'ai mis	je mettrais	je mis
	tu mets	tu as mis	tu mettrais	tu mis
	il / elle / on met	il / elle / on a mis	il / elle / on mettrait	il / elle / on mit
	nous mettons	nous avons mis	nous mettrions	nous mîmes
	vous mettez	vous avez mis	vous mettriez	vous mîtes
	ils / elles mettent	ils / elles ont mis	ils / elles mettraient	ils / elles mirent

	Présent (subjonctif)	Imparfait	Futur simple	
	que je mette	je mettais	je mettrai	
	que tu mettes	tu mettais	tu mettras	
	qu'il / elle / on mette	il / elle / on mettait	il / elle / on mettra	
	que nous mettions	nous mettions	nous mettrons	
	que vous mettiez	vous mettiez	vous mettrez	
	qu'ils / elles mettent	ils / elles mettaient	ils / elles mettront	

Infinitif	Présent	Passé composé	Conditionnel	Passé simple
partir *(to leave, depart)*	je pars	je suis parti(e)	je partirais	je partis
	tu pars	tu es parti(e)	tu partirais	tu partis
	il / elle / on part	il / elle / on est parti(e)	il / elle / on partirait	il / elle / on partit
	nous partons	nous sommes parti(e)s	nous partirions	nous partîmes
	vous partez	vous êtes parti(e)(s)	vous partiriez	vous partîtes
	ils / elles partent	ils / elles sont parti(e)s	ils / elles partiraient	ils / elles partirent

	Présent (subjonctif)	Imparfait	Futur simple	
	que je parte	je partais	je partirai	
	que tu partes	tu partais	tu partiras	
	qu'il / elle / on parte	il / elle / on partait	il / elle / on partira	
	que nous partions	nous partions	nous partirons	
	que vous partiez	vous partiez	vous partirez	
	qu'ils / elles partent	ils / elles partaient	ils / elles partiront	

Infinitif	Présent	Passé composé	Conditionnel	Passé simple
pouvoir *(to be able to: I can, etc.)*	je peux tu peux il / elle / on peut nous pouvons vous pouvez ils / elles peuvent	j'ai pu tu as pu il / elle / on a pu nous avons pu vous avez pu ils / elles ont pu	je pourrais tu pourrais il / elle / on pourrait nous pourrions vous pourriez ils / elles pourraient	je pus tu pus il / elle / on put nous pûmes vous pûtes ils / elles purent

	Présent (subjonctif)	Imparfait	Futur simple
	que je puisse que tu puisses qu'il / elle / on puisse que nous puissions que vous puissiez qu'ils / elles puissent	je pouvais tu pouvais il / elle / on pouvait nous pouvions vous pouviez ils / elles pouvaient	je pourrai tu pourras il / elle / on pourra nous pourrons vous pourrez ils / elles pourront

Infinitif	Présent	Passé composé	Conditionnel	Passé simple
prendre* *(to take)*	je prends tu prends il / elle / on prend nous prenons vous prenez ils / elles prennent	j'ai pris tu as pris il / elle / on a pris nous avons pris vous avez pris ils / elles ont pris	je prendrais tu prendrais il / elle / on prendrait nous prendrions vous prendriez ils / elles prendraient	je pris tu pris il / elle / on prit nous prîmes vous prîtes ils / elles prirent

	Présent (subjonctif)	Imparfait	Futur simple
	que je prenne que tu prennes qu'il / elle / on prenne que nous prenions que vous preniez qu'ils / elles prennent	je prenais tu prenais il / elle / on prenait nous prenions vous preniez ils / elles prenaient	je prendrai tu prendras il / elle / on prendra nous prendrons vous prendrez ils / elles prendront

'Apprendre' (*to learn*) and 'comprendre' (*to understand/include*) follow the same pattern as 'prendre'.

Infinitif	Présent	Passé composé	Conditionnel	Passé simple
recevoir *(to receive)*	je reçois tu reçois il / elle / on reçoit nous recevons vous recevez ils / elles reçoivent	j'ai reçu tu as reçu il / elle / on a reçu nous avons reçu vous avez reçu ils / elles ont reçu	je recevrais tu recevrais il / elle / on recevrait nous recevrions vous recevriez ils / elles recevraient	je reçus tu reçus il / elle / on reçut nous reçûmes vous reçûtes ils / elles reçurent

	Présent (subjonctif)	Imparfait	Futur simple
	que je reçoive que tu reçoives qu'il / elle / on reçoive que nous recevions que vous receviez qu'ils / elles reçoivent	je recevais tu recevais il / elle / on recevait nous recevions vous receviez ils / elles recevaient	je recevrai tu recevras il / elle / on recevra nous recevrons vous recevrez ils / elles recevront

Infinitif	Présent	Passé composé	Conditionnel	Passé simple
savoir *(to know)*	je sais	j'ai su	je saurais	je sus
	tu sais	tu as su	tu saurais	tu sus
	il / elle / on sait	il / elle / on a su	il / elle / on saurait	il / elle / on sut
	nous savons	nous avons su	nous saurions	nous sûmes
	vous savez	vous avez su	vous sauriez	vous sûtes
	ils / elles savent	ils / elles ont su	ils / elles sauraient	ils / elles surent

	Présent (subjonctif)	Imparfait	Futur simple
	que je sache	je savais	je saurai
	que tu saches	tu savais	tu sauras
	qu'il / elle / on sache	il / elle / on savait	il / elle / on saura
	que nous sachions	nous savions	nous saurons
	que vous sachiez	vous saviez	vous saurez
	qu'ils / elles sachent	ils / elles savaient	ils / elles sauront

Infinitif	Présent	Passé composé	Conditionnel	Passé simple
sortir *(to go out)*	je sors	je suis sorti(e)	je sortirais	je sortis
	tu sors	tu es sorti(e)	tu sortirais	tu sortis
	il / elle / on sort	il / elle / on est sorti(e)	il / elle / on sortirait	il / elle / on sortit
	nous sortons	nous sommes sorti(e)s	nous sortirions	nous sortîmes
	vous sortez	vous êtes sorti(e)(s)	vous sortiriez	vous sortîtes
	ils / elles sortent	ils / elles sont sorti(e)s	ils / elles sortiraient	ils / elles sortirent

	Présent (subjonctif)	Imparfait	Futur simple
	que je sorte	je sortais	je sortirai
	que tu sortes	tu sortais	tu sortiras
	qu'il / elle / on sorte	il / elle / on sortait	il / elle / on sortira
	que nous sortions	nous sortions	nous sortirons
	que vous sortiez	vous sortiez	vous sortirez
	qu'ils / elles sortent	ils / elles sortaient	ils / elles sortiront

Infinitif	Présent	Passé composé	Conditionnel	Passé simple
venir *(to come)*	je viens	je suis venu(e)	je viendrais	je vins
	tu viens	tu es venu(e)	tu viendrais	tu vins
	il / elle / on vient	il / elle / on est venu(e)	il / elle / on viendrait	il / elle / on vint
	nous venons	nous sommes venu(e)s	nous viendrions	nous vînmes
	vous venez	vous êtes venu(e)(s)	vous viendriez	vous vîntes
	ils / elles viennent	ils / elles sont venu(e)s	ils / elles viendraient	ils / elles vinrent

	Présent (subjonctif)	Imparfait	Futur simple
	que je vienne	je venais	je viendrai
	que tu viennes	tu venais	tu viendras
	qu'il / elle / on vienne	il / elle / on venait	il / elle / on viendra
	que nous venions	nous venions	nous viendrons
	que vous veniez	vous veniez	vous viendrez
	qu'ils / elles viennent	ils / elles venaient	ils / elles viendront

Infinitif	Présent	Passé composé	Conditionnel	Passé simple
voir *(to see)*	je vois	j'ai vu	je verrais	je vis
	tu vois	tu as vu	tu verrais	tu vis
	il / elle / on voit	il / elle / on a vu	il / elle / on verrait	il / elle / on vit
	nous voyons	nous avons vu	nous verrions	nous vîmes
	vous voyez	vous avez vu	vous verriez	vous vîtes
	ils / elles voient	ils / elles ont vu	ils / elles verraient	ils / elles virent

	Présent (subjonctif)	Imparfait	Futur simple
	que je voie	je voyais	je verrai
	que tu voies	tu voyais	tu verras
	qu'il / elle / on voie	il / elle / on voyait	il / elle / on verra
	que nous voyions	nous voyions	nous verrons
	que vous voyiez	vous voyiez	vous verrez
	qu'ils / elles voient	ils / elles voyaient	ils / elles verront

Infinitif	Présent	Passé composé	Conditionnel	Passé simple
vouloir *(to want)*	je veux	j'ai voulu	je voudrais	je voulus
	tu veux	tu as voulu	tu voudrais	tu voulus
	il / elle / on veut	il / elle / on a voulu	il / elle / on voudrait	il / elle / on voulut
	nous voulons	nous avons voulu	nous voudrions	nous voulûmes
	vous voulez	vous avez voulu	vous voudriez	vous voulûtes
	ils / elles veulent	ils / elles ont voulu	ils / elles voudraient	ils / elles voulurent

	Présent (subjonctif)	Imparfait	Futur simple
	que je veuille	je voulais	je voudrai
	que tu veuilles	tu voulais	tu voudras
	qu'il / elle / on veuille	il / elle / on voulait	il / elle / on voudra
	que nous voulions	nous voulions	nous voudrons
	que vous vouliez	vous vouliez	vous voudrez
	qu'ils / elles veuillent	ils / elles voulaient	ils / elles voudront

Acknowledgments

The publishers have made every effort to trace copyright holders, but if they have inadvertently overlooked any they will be pleased to make the necessary arrangements at the first opportunity.

The authors and publisher are grateful to the following for permission to reproduce copyrighted material:

'Interview with Emma Watson' published in Dream Up magazine, No. 15, July/August 2009, page 14. 'Interview with Mika' published in Star Club magazine, No. 26, August 2009. Articles 'Le plus vieil instrument', 'Les femmes qui travaillent au bureau', 'Interview with Erik Orsenna', 'IBM dévoile le 1st micro-ordinateur' from Ça M'intéresse magazine, No. 342, August 2009 © Ça M'intéresse – 2009. 'Amir' published in Starlight magazine, December/January 2018, pages 20–22. Extract from *La Bicyclette Bleue* by Regine Deforges, published by Fayard. Articles 'Cyberharcèlement' and 'La violence dans les jeux video rend-elle agressif?' published in Digital Magazine, January/February 2018. Articles 'Corée du Nord: La menace de la guerre' by Juilette Morillot and 'Entretien avec Bertrand Piccard' by Lionel Robert, published in Paris Match, September 2017. Articles 'Que vuelent les jeunes Catalans?' by Aurélie Charmerois and 'Le bitcoin, c'est quoi cette monnaie?' by Lauriane Clément, published in Phosphore magazine, January 2018. Article 'La mondialisation ne profite pas qu'aux autres' by Lhaik Corinne, published in L'Express, November 1996. Extracts from *La Photo du Colonel* by Eugène Ionesco and from *Le Mur* by Jean-Paul Sartre © Éditions Gallimard. 'Sam Smith's 3 Songs' published in Okapi, January 2008, page 34. Copyright © Sandrine Pouverreau, Okapi n°1059, Bayard Presse, 2018.